Cofio'r Cymro

Cofio'r *Cymro*

Robin Jones (Bethel)

CYDNABYDDIAETH LLUNIAU

Geoff Charles (Hawlfraint Llyfrgell Genedlaethol Cymru)
Robin Griffith (gyda'i ganiatâd)
Dewi Wyn (gyda'i ganiatâd)
Lluniau o'r llyfr 'The Advertizer Family' drwy ganiatâd
Mrs Nonna Thomas.
Lluniau a phenawdau ôl-gopïau o'r Cymro drwy ganiatâd
Llyfrgell Prifysgol Bangor.
Llun John Lewis Thomas, Llanllwni, Pencader drwy ganiatâd
ei ferch Mrs Greta Walters.

DIOLCH

Gyda diolch i staff Archifdy Gwynedd, Llyfrgell Genedlaethol Cymru
a Llyfrgell Prifysgol Bangor am bob cymorth gyda'r ymchwil.

Diolch i staff Y Lolfa am eu cymorth parod.

Diolch i holl ohebwyr, is-olygyddion a ffotograffwyr eraill Y Cymro, nad oes sôn amdanynt yn y llyfr,
am eu cyfraniad dros y blynyddoedd.

Cyhoeddir Y Cymro gan Cambrian News Cyf. ac ers mis Hydref 2007, blwyddyn ei ben-blwydd arbennig, caiff ei argraffu
unwaith eto yng Nghymru gan North Wales Media – Papurau Gogledd Cymru (Glannau Dyfrdwy).

Argraffiad cyntaf: 2007

Mae'r cyhoeddwr yn cydnabod cefnogaeth ariannol
Cyngor Llyfrau Cymru

Cysodi: Dafydd Saer
Clawr: Robat Gruffudd

Rhif Llyfr Rhyngwladol:
ISBN: 9 781 84771 014 7
ISBN-10: 1 84771 014 X

Cyhoeddwyd ac argraffwyd yng Nghymru
gan Y Lolfa Cyf., Talybont, Ceredigion SY24 5AP
e-bost ylolfa@ylolfa.com
gwefan www.ylolfa.com
ffôn (01970) 832 304
ffacs 832 782

Cynnwys

Cymro Bangor, 1848 – 1850

Er mai dathlu pen-blwydd *Y Cymro* presennol yn ddri chwarter canrif a wnawn ni eleni, a hithau'n 2007, annheg efallai fyddai peidio â chofio fod yna sawl *Cymro* arall wedi gweld golau dydd o dro i dro dros y blynyddoedd. Cychwynnwyd y cyntaf ohonyn nhw ym Mangor, yn ôl yn y flwyddyn 1848. Ei olygydd a'i argraffydd oedd Hugh Williams (Cadfan), Printing Office, Union Street, Bangor. Brodor o Fryncrug, ger Tywyn, Meirionnydd, ydoedd a bwriodd ei brentisiaeth dan Richard Jones, argraffydd yn Nolgellau, gan ddod yn enwog fel ysgrifennwr galluog ac fel dadleuwr ac amddiffynnwr selog i'r Eglwys Wladol. Dechreuodd olygu ac argraffu *Y Cymro* fel papur eglwysig ym mis Ionawr 1848, ac fel dilyniant i'r cylchgrawn *Y Protestant*.

Pris *Y Cymro* cyntaf oedd 3 ceiniog, a chafodd ei gyhoeddi ar 1 Ionawr 1848. Ar y ddalen flaen, o dan y teitl, roedd y geiriau Saesneg canlynol:

Religious controversy has often been made interesting to the public when it was strongly seasoned with gross abuse, slanderous misstatements, amusing or romantic narrative, wit, sarcasm, highly wrought eloquence, or other attractions which the public taste admires. But religious argument, composed with sobriety, and put forth in the spirit of truth and peace, has no right to expect popular favour (Bishop Hopkins).

A thra bu'r papur ym Mangor yn y blynyddoedd cynnar hynny, dyfyniadau Saesneg a fu'n 'arwyddeiriau' iddo, ar wahân i gyfnodau byr pan gafwyd ambell un Cymraeg.

Roedd tudalen flaen y rhifyn cyntaf yn rhoi anerchiad a chyflwyniad i'r *Cymro*, ac yna gyfieithiad Saesneg o'r cyfan ar yr ail dudalen a rhan o'r drydedd – tudalennau o brint poenus o fân, a cholofnau digon hirwyntog yn aml. Dyma, yn fras, oedd ei gynnwys am yr wythnos gyntaf honno yn ôl yn 1848.

'Y *Cymro* yn dysgu Saesneg'   t. 3
'Iawn ddefnydd gwybodaeth'   t. 3
'Masnach' – 'Arian' – 'Banciau'   t. 4
'Yr India Ddwyreiniol a Juggernaut' t. 4
'Achos tymhorau'r flwyddyn'   t. 5
'Nodiadau y Mis'   t. 5
'Y Senedd Ymerodrol'   t. 6
'Newyddion Cartrefol a Thramor' t. 7
'Hysbysiadau', a 'Marchnadoedd'
'Y Plygain Nadolig', ac englynion i'r *Cymro*, er enghraifft:

Pob *Cymro* garo gywiriaith – ei genedl
 A'i gogoniant perffaith;
 Dyma reol, fuddiol faith
 I nofio mewn Hynafiaith.
     R.W., Vrondeg, Bangor.

Hiroes i'r *Cymro* eirian – Diana
 Daionus ei amcan
 Llwydded, ymlidied yn lân
 Dywyllwch o'n gwlad allan.
     Llundain, Sam o Von.

Llwyddiant, ym mhob dull haeddol – i'r *Cymro*
 Ro'i camrau gwladgarol;
 Newyddion fyddai'n fuddiol,
 Hufen i gyd fo'n ei gol.
     Wrexham, Dewi Rhagfyr.

Ar wahân i'r englynion, dyma ychydig o flas ar ei newyddion:

Troseddau yng Nghymru

Nid ydym yn cofio amser ag y bu cymaint o ymosodiadau lladron penffordd i'w coffau yn ein gwlad. Mae Dehau a Gogledd, yn enwedig yng nghymdogaeth y gweithfeydd, wedi mynd yn beryglus i ddyn deithio yn hwyr y nos. Drwg gennym fod ein gwlad fel hyn yn colli ei henw da. Gwnaed pawb eu goreu i gael allan y troseddwyr; dyma'r moddion tebycaf i chwynu y drygau hyn o'n mysg.

1 Ionawr 1848.

Llongddrylliad

Dydd Mawrth y 9fed o Ragfyr 1847, collwyd llong Italaidd, yr *Archduke Paladino,* yn ymyl pentref Llandudno, Caernarfon. Dangoswyd ymdrech canmoladwy gan y trigolion i achub bywydau y dwylaw, a llwyddasant i gael 8 o'r 11 yn ddiogel i dir.

1 Ionawr 1848.

Yr Aipht

Pan oedd trigolion Prydain yn byw mewn bwthynau pridd, a'i mawrion heb wybod am garpet amgenach na brwyn gleision, yr oedd yr Aipht yn llawn o gyfoeth, – addurniadau a moethau, dinasoedd ardderchog a phalasau gorwychion; a buasai un o'r Prydeiniaid yn wrthrych mor hynod a Thesbian neu Memphis ag ydyw y *mummy* yn awr yn y British Museum.

29 Ionawr 1848.

I iachau unrhyw afiechyd, wel, darllenwch hwn, a ymddangosodd ar 8 Ebrill 1848:

CYFANSODDION MEDDYGOL DIGYFFELYB

PILS LLYSIEUOL HUMPHREYS

TONIC APERIENT PILLS

Er clefydau fyrddiwn;
Efe'r Physigwr enwog a'u congcra o bob rhyw,
A llysiau mân y gerddi, nes delo amser Duw.
Williams, Pantycelyn.

Erbyn 15 Mai 1848, yn *Yr Amserau* (papur newydd a gychwynnwyd yn Lerpwl tua 1845), roedd yna gyhuddiad yn erbyn *Y Cymro* gan wr o'r enw J. Rhys Morgan, Bangor. Dyma ran fechan yn unig o'i lythyr hirfaith:

Olygwr parchus – A wnewch chwi ganiatau i'r hyn a ganlyn ymddangos yn yr *Amserau*? Hysbys i chwi, ac i lawer o'ch darllenwyr, fod papur newyddion pymthengnosol o dan enw *Cymro*, wedi dechrau cael ei gyhoeddi ym Mangor, ers y dydd cyntaf o Ionawr diweddaf. Er dangos y parch a'r ymddiried a deilynga y papur hwn, gwasanaethed a ganlyn:

Yn yr hyspysiad (advertisement) am y bwriad i'w ddwyn allan, yr hwn a ymddangosodd ar amlenau y rhan fwyaf o'r cyhoeddiadau Cymreig, dywedir fel hyn 'Nid yw y cyhoeddwyr yn chwenych taflu unrhyw anfri ar unrhyw ymgeisiad blaenorol; etto, gallant ddywedyd yn hyderus fod y wlad yn aeddfed i dderbyn cyhoeddiad o'r nodweddiad hwn. Mae gan bob sect a phlaid eu cyhoeddiad, ac y mae iddynt ledaeniad rhyfeddol; ond gŵyr pob dyn o feddwl syml nad yw gwirionedd yn aros mewn *eithafion,* rhaid edrych amdano, ac y mae i'w gael, o fewn y cylch tawel hwnw sydd a'i ffyrdd yn ffyrdd hyfrydwch a'i holl lwybrau yn heddwch'.

Cyhuddid *Y Cymro* felly o fod yn bapur pleidgar, er bod ei raghysbyseb yn dweud yn wahanol! Ond, meddai Hugh Williams mewn atebiad: 'amcenid iddo fod yn llais cyffredin ac nid er mantais unrhyw sect, ond daeth allan yn ysbryd, dan nawdd, ac fel gwas ufuddaf y "sect" Eglwysig'. Hawdd gweld wrth ddarllen rhifynnau cynnar *Y Cymro*, fod llawer o gasineb a checru yn bodoli rhwng Eglwyswyr ac Ymneilltuwyr y cyfnod. Dilynwyd y llythyr hwn, dros fisoedd lawer, gan sawl llythyr brwnt, cas a hirwyntog yng ngholofnau'r *Amserau*, a phob un yn cyhuddo Hugh Williams o fod yn gelwyddgi, yn froliwr, ac o gyhoeddi ffeithiau di-sail, ynghyd â llu o bechodau eraill – 'getting money under false pretences', hyd yn oed! – ac yn annog pobl Cymru i beidio â chefnogi papur newydd *Y Cymro* mewn unrhyw fodd.

Mae'n amlwg nad oedd y fenter o gyhoeddi'r *Cymro* wedi bod yn rhyw lwyddiant mawr i Hugh Williams, oherwydd dyma a ddywed mewn llythyr 'At Dderbynwyr a Chefnogwyr *Y Cymro*', dyddiedig 29 Mehefin 1849, union ddeunaw mis ar ôl ei sefydlu:

Hyd yn hyn ni chefais gymmaint a help llaw gan neb yn y gorchwyl pwysig o gyhoeddi newyddiadur bob pythefnos, a chan nad ydwyf ond cnawd ac esgyrn, fel rhyw ddyn cyffredin arall, gorfu arnaf roddi y cyhoeddi i fyny, a chyfyngu fy llafur o hyn allan i olygu'r Cymro yn unig. Gwnaethum gytundeb a Mr Shone, Llyfrwerthwr ac Argraphydd, i argraphu a chyhoeddi y papyr; ac atto ef y mae pob gohebiaeth berthynol i'r cyhoeddiad i'w cyfeirio o hyn allan.

Gwneler pob taliadau i Mr Hugh Williams neu i'r Goruchwyliwr teithiol, Mr Richard Owen.

Yr wyf wedi anfon y goruchwyliwr uchod i gasglu yr arian dyledus am y flwyddyn ddiweddaf, yr hwn a dderbyn hefyd daliadau am y flwyddyn hon; ac yr wyf yn hyderus y bydd i'r Derbynwyr ofalu nad elo ymaith yn waglaw, ac hefyd y bydd i Gefnogwyr *Y Cymro* ddeffroi i gydymdrechu er mwyn ynnill derbynwyr newyddion; oherwydd nid ynnillfawr iawn a fu yr anturiaeth hyd yma.

A chofied cyfeillion fod cost fawr i anfon cennad ar hyd y wlad i ofyn man symiau, ac y bydd gorfod dyfod eilwaith filltiroedd o ffordd i dderbyn tri swllt neu bedwar, braidd yn 'rhy ddrwg.' Wrth alw ynghanol y flwyddyn, disgwylir i bawb dalu iddo hyd ei diwedd.

Felly, ym mis Gorffennaf 1849, trosglwyddwyd perchenogaeth y papur i William Shone, Printer and Publisher, Green Edge Place, Bangor, gyda Hugh Williams yn parhau i'w olygu. Ond ni pheidiodd y llythyrau cas ag ymddangos yn *Yr Amserau*. Dyma enghraifft o lythyr, dyddiedig 25 Hydref 1849:

Er fod y Golygydd hwnw ag sydd yn mynych ymffrostio ei fod yn 'dywedyd y gwir bob amser' yn hysbysu ei ddarllenwyr yn ei rifyn am dydd Gwener yn y 'Newyddion eglwysig' a ganlyn, 'Mae Esgob Llandaff yn parhau yn wael ei iechyd' gwell genyf goelio yr Amserau am ddydd Iau diweddaf, sef diwrnod yn flaenorol i bapur Bangor, pan yn dyweyd fod Esgob Llandaff wedi marw.

Y Fferyllfa.   Ysolyr

Mae'n bur amlwg na fu'r misoedd canlynol chwaith yn rhai llwyddiannus iawn i'r *Cymro*, oherwydd erbyn 16 Hydref 1850, roedd y papur wedi symud o Fangor i Lundain, ac yn cael ei argraffu a'i gyhoeddi gan gwmni o'r enw 'Sydney Hedley Waterlow, of Gloster Terrace, Hoxton in the County of Middlesex – Printing Office 65-68 London Wall in the parish of Allhalows on the Wall, in the City of London'.

Ar ôl ymdrechu'n galed am dros ddwy flynedd, roedd hi'n siŵr o fod yn siom fawr i Hugh Williams orfod troi ei gefn ar y fenter (er, o bosib, yn dipyn o ryddhad hefyd ar un ystyr!). Efallai fod ymgais Richard Owen, ei Oruchwyliwr teithiol, i gasglu dyledion y flwyddyn 1848 wedi bod yn aflwyddiannus, a llawer, hwyrach, yn amharod i dalu ymlaen llaw hyd ddiwedd 1849. Gyda'r costau a'r dyledion yn cynyddu o fis i fis, yr holl lythyrau maleisus oedd yn ymddangos yn y wasg, a sylweddoli, o bosib, na wnaeth y Cymry ymateb i'w alwad yn

1848 'i ddeffroi a chydymdrechu i ennill derbynwyr newydd, oherwydd na fu yr anturiaeth hyd yma yn ynnillfawr', hawdd gweld mai rhyw gyfuniad o'r pethau yma i gyd a ddaeth â breuddwyd Hugh Williams (Cadfan) a'r *Cymro* cyntaf i ben mor ddisymwth ym Mangor.

Symud i Lundain a wnaeth Hugh Williams hefyd – nid i weithio ar *Y Cymro*, ond yn hytrach i fod yn ddarllenydd yng ngwasanaeth cyhoeddwr arall o'r enw John Cassell.

Cymro Llundain, 1850 – 1851

Golygydd *Y Cymro* yn Llundain oedd gŵr o'r enw John James (Ioan Meirion), llenor a aned yn y Tŷ Gwyn, Llanymawddwy. Aeth John James i fyw i Lundain yn gynnar iawn. Ŵyr neb yn hollol beth oedd ei waith yn y ddinas honno, ond priododd ferch hynod o gyfoethog a bu'r ddau yn byw yn rhif 4, Tysoe Street, Wilmington Square. Dywedir ei fod yn aelod blaenllaw o Gymdeithas y Cymreigyddion, ac yn llenor amlwg. Yn 1846, cafodd ei benodi yn un o ddeuddeg cynorthwywr y Comisiwn ar Addysg yng Nghymru, 'ac fe achosodd ei adroddiadau gyffro mawr, bu'n destyn beirniadaeth lem gan Lewis Edwards [Prifathro Coleg y Bala am 50 mlynedd], a gwawd ffyrnig gan wŷr llawer llai'. Ond beth bynnag am hynny, ef erbyn hyn oedd golygydd *Y Cymro*.

Dyma a ddywed yn ei rifyn cyntaf:

Yr ydym wedi derbyn llythyrau oddiwrth amryw gyfeillion caredig, yn dymuno i ni bob llwyddiant ar yr achlysur fod *Y Cymro* wedi ei ddwyn i Lundain. Mawr ddiolch i bawb.

Ein bwriad yw gwneyd *Y Cymro*, bob yn ychydig, yn bapur newydd teilwng o gefnogiad gan y sawl a ddymuno wir lwyddiant i'r Eglwys Sefydledig a chyfansoddiad Llywodraethol y Deyrnas Brydeinig yn Nghymru. Ni ddichon un dyn wneud y cwbwl. Rhaid i ni gael cydweithrediad calonog, yn neubarth y Dywysogaeth. Y mae ar Gymru angen am bapur newydd da yn eu hiaith eu hunain, sef un ag y bo ei egwyddorion yn gyson a rheol a heddwch. Y mae rhai yn darogan na fydd i ni gael cefnogiad digonol. – Pe y cymerid tri chopi o'r papur yn mhob plwyf yn y bedair esgobaeth, byddai wedi llwyddo eisioes.

Yma yn Llundain yr un oedd neges a phwrpas *Y Cymro* ag ym Mangor, sef bod yn bapur newydd Cymraeg eglwysig.

Ond, yn rhyfedd iawn, doedd dim dinas barhaus i fod i'r *Cymro* yn Llundain chwaith, oherwydd ar 24 Ebrill 1851, ychydig dros chwe mis wedi i'r cyhoeddi a'r argraffu gael cartref newydd yn y ddinas honno, bu digwyddiad trist. Cafodd Ioan Meirion, y Golygydd, ei gicio gan ei geffyl ar Blackheath, a bu farw o'i niweidiau yn ŵr ieuanc 36 mlwydd oed. Tybed beth fyddai hanes *Y Cymro* petai Ioan Meirion wedi cael byw?

Ar un ystyr, fe wnaeth les mawr i'r *Cymro* fynd allan o Gymru am ychydig fisoedd. O leiaf, tra bu yno, diflannodd y dyfyniadau Saesneg oddi ar y dudalen flaen, ac yn eu lle daeth llond ceg o Gymraeg – 'Undeb a brawdgarwch – Ofnwch Dduw, Anrhydeddwch y Brenin'.

Dyma, felly, ddiwedd yr ail *Gymro*, o fewn cyfnod o ychydig dros dair blynedd.

Cymro Treffynnon, 1851 – 1860

Mae'n amlwg nad oedd llawer o awydd na diddordeb gan unrhyw berson i barhau gyda chyhoeddi'r *Cymro* yn Llundain, oherwydd, o fewn cwta dau fis (sy'n amser byr iawn i unrhyw fath o gwmni newid dwylo!), roedd y papur yn ôl yng ngogledd Cymru, y tro hwn yn Nhreffynnon. Yn ystod mis Mehefin 1851, daeth i ddwylo gŵr o'r enw William Morris, argraffydd llyfrau a chylchgronau eglwysig. Dyma oedd ei gyhoeddiad yn *Y Cymro* yr adeg honno:

> Printed and published by William Morris at his residence, 47 High Street, Holywell, Pob archeb i Mr William Morris, *Y Cymro* and Eglwysydd Office, Holywell, Flintshire. Published on Tuesday evening in time for the early posts, and very extensively circulated through the Principality, and several counties in England.

Papur eglwysig go iawn oedd hwn eto, pedair tudalen enfawr, a dim i dorri ar fôr o eiriau llwydaidd, a rheini mewn print poenus o fân. Mae'n anodd credu sut y gallai pobl y cyfnod ei ddarllen, a hynny'n aml yng ngolau cannwyll. Roedd *Y Cymro* yma'n ddigon tebyg i'r ddau bapur blaenorol, gydag ychydig o newyddion cartref a thramor, ambell bwt o newyddion eglwysig, genedigaethau a marwolaethau, ond roedd llythyrau tipyn mwy mentrus yn hwn, a rhai cwbl amherthnasol i bwrpas *Y Cymro* weithiau'n cael eu cyhoeddi. Dyma rannau o ambell lythyr ymddangosodd:

At y golygydd

Mae'r Cymro i gymmeryd ei daith o Lundain. Dyma gynhygiad etto am ail fywhâu'r Cymro. Er ei gychwyniad cyntaf ym Mangor, mae rhyw gettyn o dwrw wedi bod gyd âg ef. Ymosodwyd arno'n ffyrnigwyllt, a chyhoeddwyd anathemau dirif uwch ei ben; ond er y cyfan, y mae'n fyw.

At y golygydd

Syr.

Hysbys yw i'r oll o'ch darllenwŷr mai hên arferiad gan y Corph Calfinaidd er's amryw o flynyddoedd bellach oedd cynnal eu 'Sassiwn fawr' yn y Bala; ond eleni fe farnwyd yn ddoeth gan y 'Corph' i'w symud i Wyddgrug, oblegid y cyfeddach, y meddwdod, y godineb a'r trythyllwch, ynghyd â'r gwahanol chwaryddiaethau a gymmerent le yno yng nghorph wythnos y Sassiwn; – canmoladwy iawn, onidê, oedd ei symud i ryw le arall, i'r diben o'i 'gwared hi rhag y drwg'. Er mwyn eglurhad trwyadl ar y symudiad hwn, dyma i chi esboniad Mr William Aubrey, pregethwr Wesleyaidd, yng nghapel y Beili y Sul canlynol; dywedai fel hyn 'Bu gan y brodyr y Methodistiaid Calfinaidd Sassiwn yn y Bala bob blwyddyn; gosododd Duw Farricks yno, a rhoes Soldiers a'i Artillerymen yno, i ymladd yn erbyn y diafol; ar ôl brwydr galed am flynyddau, y mae'r cythraul wedi ennill y dydd, – byddin Duw yn gorfod ffoi, a gosod eu gwersyll yn y Wyddgrug eleni.

Druain oedd y Soldiers, beth ddaeth o honynt tybed wedi gwersyllu yn y Wyddgrug? Er colli'r dydd tua'r Bala, tybed na ddygwyd llawer o garcharorion oddi ar y diafol yn mrwydr y Wyddgrug? tybed na sobreiddiwyd yr Wyddgrugolion a phreswylwyr Callestr ganddynt? Na!

nid felly; nid wyf yn gwybod am gymmaint ag un wedi cael argyhoeddiad yn y Sassiwn.

Un oedd yn y 'Sassiwn'   *9 Gorffennaf 1851*

Mae'r llythyr uchod yn mynd rhagddo i restru mwy a mwy o'r hyn oedd yn digwydd yn yr Wyddgrug wythnos y sasiwn, a dyma oedd sylw'r golygydd:

Nid oes gennym un amheuaeth nad yw ein Gohebydd yn dweyd y gwir bob gair; ond yr ydym yn protestio yn erbyn dywedyd fod Corph y Methodistiaid yn cefnogi y drygau a nodir. Mae yn ddios gennym fod y cynnulliadau hyn yn rhoddi achlysur i'r ysgafn a'r gwammal ddilyn eu pleserau; a byddai yn ddoeth i'r Methodistiaid ystyried cynwysiad y llythyr uchod, ac yna barnant drostynt eu hunain a'i ddoeth y gwnant wrth ddarparu y fath achlysur. – Gol

---

Tystiolaeth o Barch

Mae'r farn, nad ydyw yr Eglwys Sefydledig yn meddu ymddiried y dosparth fwyaf dysgedig o'r Ymneillduwŷr lleygol, yn hudoliaeth o'r fath (er ei fod yn cael ei ledaenu yn ddiwyd gan y mwyafrif o'r pregethwŷr sectoraidd) na ddichon dwyllo unrhyw ddyn o synwyr cyffredin.

Yr ydym yn addef fod nifer bychan mewn cydmariaeth o'r Ymneillduwŷr lleygol, y rhai y mae eu hoffter o gynnulleidfaoedd cymmanfaol yn peri iddynt chwydu pob math o ddifriad ar yr Eglwys fel y gallont dderbyn peth sylw yn y cyfryw gynnulleidfaoedd – heb ba un mae'n eithaf hysbys na allant hyd yn oed fodoli yn mysg eu cyd – bleidwŷr ond fel creaduriaid disylw neu

'ddychymmyg-bethau' (nonentities). Ond yn mhlith y nifer lliosog o'r personau heddychol, dedwydd a duwiol, sy'n mynd i'r Cappelydd Ymneulltuol i achosion eraill heblaw torri figure, neu i ddangos eu dillad gwychion, neu fel arweinwyr politicaidd ac enwadol, edrychir ar yr Eglwys gyda gradd o barch llawer uwch, yr ydym yn barnu, nâg y mae hi yn wybyddus o hono, nac ychwaith yn ddigon gofalus i'w ddiwillio. Mae ein tystiolaeth o'r ffeithiau hyn yn lliosog a phenderfynol.
Gol.

5 Gorffennaf 1854.

Y Dydd Ympryd

Yn unol â dymuniad ein tirion Frenhines ynghyd a chydsyniad pennaethiaid ein gwlad, cadwyd dydd Mercher diweddaf yn ddydd o ymostyngiad ger bron yr Hollalluog Dduw mewn ympryd a gweddi i erfyn maddeuant o'n pechodau ac i ofyn yn ddifrifol am lwyddiant ar ein harfau er adferiad heddwch i'w Mawrhydi a'i harglwyddiaethau
Gol.

28 Mawrth 1855.

Yn 1852, daeth Lewis William Lewis (Llew Llwyfo) yn is-olygydd *Y Cymro*. Bardd, nofelydd a newyddiadurwr, a gŵr amlwg iawn ym mywyd Cymru y dyddiau hynny oedd Llew Llwyfo. Bu gyda'r *Cymro* yn Nhreffynnon hyd iddo symud, yn 1855, i fod yn olygydd papur newydd *Yr Amserau* yn Lerpwl.

Ar 20 Mehefin 1855, gwnaeth William Morris

y cyhoeddiadau a ganlyn, ac er bod y papur wedi colli peth o'i Seisnigrwydd tra oedd yn Llundain, mae'n rhyfedd na fyddai'r cyhoeddiadau canlynol o Dreffynnon wedi bod yn yr iaith Gymraeg!

Inland Book Postage

In consequence of the great facilities now afforded by the Post-Office Authorities, for the transmission of publications by post, W. Morris begs respectfully to intimate that any Book, whose selling price amounts to One Shilling or upwards, (or an assortment of publications to the above amount) will be sent post free, to any part of the kingdom, at their publishing prices.

The *Cymro*

The Publishers of the *Cymro*, desiroes of giving the public the full benefit of the above improved regulations, and also of the privilege of publishing Newspapers on unstamped paper, announces that after June 30, 3 copies of the *Cymro* will be sent on unstamped paper, free of postage, for 8 1/2d.

The Cymro for a Penny

Another valuable boon is now placed within the reach of the working classes, that the *Cymro* will be published at 1d. each on Friday, as well as on its present publication day.

The Friday's edition will contain all the News of the week up to Friday morning; the London, Chester, Denbigh, and other local markets; a summary of Parlimentary Intelligence; Welsh, English, Foreign, Church and other news, The first No will be issued June 30.

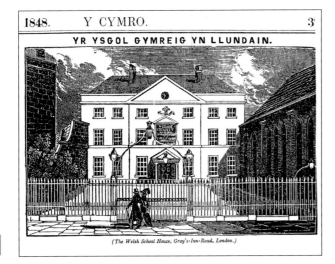

1848.   Y CYMRO.   3'

YR YSGOL GYMREIG YN LLUNDAIN.

(The Welsh School House, Gray's-Inn-Road, London.)

Cymro Treffynnon yn symud i Ddinbych, 1860 – 1866

Hen swyddfa'r Cymro *yn Ninbych fel y mae heddiw.*

Ar 1 Chwefror 1860, symudodd William Morris ei fusnes o Dreffynnon i Stryd Fawr Dinbych, a dyma ei gyhoeddiad wrth wneud hynny:

Ar ôl hir ystyriaeth a pheth petrusdod, wele ni wedi symud ein swyddfa o Dreffynnon i Ddinbych, a'r rhifyn hwn o'r Cymro ydyw'r cyntaf o'r gyfres a gyhoeddir ym mhrif dref 'Dyffryn Clodfawr Clwyd.' Gan fod Dinbych yn dref bwysicach ac yn fwy yn y canolbarth, a'i dylanwad ar y wlad, yn gyffredinol yn fwy, tybiwn y cyd-wêl ein cefnogwyr â ni, fod y symudiad hwn yn un doeth, ac y gallwn o'r herwydd, wasanaethu ein cydwladwyr yn well ac yn fwy effeithiol.

Neges at ein gohebwyr

Y mae'n boenus gennym ganfod cynifer o lythyrau yn '*Y Cymro*' oddi wrth y naill Eglwyswr at y llall. Da chwi, ohebwyr, tynnwch eich harfau allan yn erbyn y gelyn mawr, ac nid yn erbyn eich gilydd. – Brodyr ydych, – Ty wedi ei ymrannu ni saif .

Gol.

14 Ionawr 1863.

O'r cyfeiriad hwnnw – 37, Stryd Fawr, Dinbych – chwe blynedd yn ddiweddarach, ar 21 Chwefror 1866, yr ymddangosodd y rhifyn olaf, a daeth oes fer *Y Cymro* – *Y Cymro* rhif tri – i ben unwaith eto. Wel, am y tro, beth bynnag.

Cymro Lerpwl, 1890 – 1907

Flynyddoedd ar ôl marw'r 'trydydd' *Cymro*, fe anwyd y pedwerydd, a hynny yn Lerpwl ar 22 Mai 1890. Y gŵr a fentrodd y tro hwn oedd Isaac Foulkes (Llyfrbryf), brodor o Lanfwrog, sir Ddinbych. Cafodd ei brentisio yng ngwasg Isaac Clarke, Rhuthun, ond cyn darfod ei brentisiaeth symudodd i Lerpwl, a bu am rai blynyddoedd yn gysodydd yn swyddfa argraffu'r *Amserau*, ac oddi yno aeth i argraffdy gŵr o'r enw David Marples.

Yn y flwyddyn 1862, sefydlodd ei wasg ei hun yn 28, King Street, Lerpwl (ac ar Kinglake Street ar ôl 1868). 22 Mai 1890 oedd dyddiad cyhoeddi ei rifyn cyntaf o'r *Cymro*. Er bod Isaac Foulkes yn awdur nifer helaeth o nofelau ac ysgrifau, mae'n wir

newyddiadur gwahanol. Yn wleidyddol, yr oedd Isaac Foulkes yn Rhyddfrydwr ac yn bleidiwr selog i achos heddwch, a'i bennaf ddiddordeb oedd cadwedigaeth yr iaith a llenyddiaeth Gymraeg (tipyn gwahanol i'r tri *Cymro* blaenorol). Gwnaeth fwy na'r un cyhoeddwr arall yn ei gyfnod i ddod â llyfrau Cymraeg i gyrraedd y bobl trwy dudalennau ei newyddiadur, a thrwy ailgyhoeddi clasuron Cymraeg. Yn *Y Cymro* y dechreuodd y nofelydd Daniel Owen gyhoeddi, fesul pennod, y ffug-chwedl a elwid yn 'Profedigaethau Enoc Huws' a Llew Llwyfo (a fu'n is-olygydd i'r hen *Gymro* yn Nhreffynnon) ei ffug-chwedl yntau, 'Cyfrinach Cwm Erfin', heb anghofio am 'Teulu Min y Morfa' gan y cerddor o Fangor, John Richards (Isalaw).

Yn ei raghysbysiad am *Y Cymro*, dywed Isaac Foulkes:

Bydd gan *Y Cymro* ei ddeall ei hun o ddweud ei neges a thraddodi ei genawdwri. Cefnogwn bob amcan da. Ymddengys yn awr am ei fod yn sylweddoli un o'm hen fwriadau. Ei arwyddair, yr hwn a geir ar yr wyneb ddalen, ydyw 'fy Ngwlad, fy Iaith, fy Nghenedl' a hyderwn y bydd iddo barhau i gadw at ystyr hyn. Ceir ynddo erthyglau arweiniol ar bynciau'r dydd, Newyddion Cymreig, nodiadau o lan y Tafwys, Nodiadau cerddorol galluog, Barddoniaeth, Ymgom am lyfrau hen a diweddar (yr hon golofn sydd yn werthfawr) Gwreichion, Cwrs y Byd, (Nodiadau diddorol ar wahanol faterion) Newyddion Americanaidd, a chryn lawer o newyddion lleol sydd yn bwysig i Gymry y ddinas yr argreffir ef ynddi eu gwybod.

dweud mai fel cychwynnydd, perchennog a golygydd *Y Cymro* y daeth yn fwyaf adnabyddus. Doedd dim llawer o sôn erbyn 1890, mae'n debyg, am *Y Cymro* hwnnw a ddaeth i ben yn Ninbych yn agos i bedair blynedd ar hugain yn gynharach, ac roedd llawer iawn wedi anghofio am ei fodolaeth.

Roedd *Y Cymro* yma, fodd bynnag, yn

Prentisiwyd Isaac Foulkes yng ngwasg Isaac Clarke yn Rhuthun (lle sydd bellach yn dŷ bwyta).

Erbyn tua 1896, ar ôl symud droeon o gylch y ddinas, ymsefydlodd ei wasg yn Don Chambers, Paradise Street. Cyhoeddid *Y Cymro* yn wythnosol, ar ddydd Iau, a'i bris oedd un geiniog. Dyma ychydig o flas *Y Cymro* o'r cyfnod hwnnw:

Tra mae'r Adroddiad diweddar yn rhoddi rhif y Cymry unieithog yn 508,000 ni argraffwyd ond 70,000 o dafleni Cymreig.

6 Medi 1894.

Iaith y dyfodol

Ebe hen Gymro diniwed wrth ei nai pumtheg oed, ychydig ddyddiau'n ôl "Machgen i, cofia ddysgu Cymraeg, beth bynnag; nid i'w siarad yn unig, ond i'w hysgrifenu yn fedrus. Gei di wel'd bod hi i godi ei phen yn ystod y ganrif nesaf; ac erbyn 2,000, Cymraeg fydda nhw'n siarad yn holl Ynys Prydain – fydd yna fawr o Saesneg ond yn yr Eisteddfod Genedlaethol ac mewn comitis lle y byddon nhw'n trin materion Cymreig."

25 Hydref 1895.

Yn Nhy'r Cyffredin, nos Fawrth, dywedodd Mr A Morley wrth Mr D A Thomas mai ei arfer ef wrth benodi postfeistriaid i ardaloedd lle siaredir Cymraeg oedd dewis yr ymgeiswyr a feddent wybodaeth o'r iaith honno, a bwriadai ddal at yr arferiad hon.

25 Ebrill 1895.

Digwyddodd amgylchiad pur ryfedd mewn angladd yn Llanyblodwel, Croesoswallt ddydd Sadwrn. Y mae'r eglwys ers marwolaeth y Parch Elias Owen, heb yr un bugail, ac esgeulusodd y wardeiniaid wneud trefniadau am glerigwr arall.

Disgwyliodd yr angladd wrth y fynwent dros hanner awr am rywyn i ddyfod i gynnal y gwasanaeth. O'r diwedd dechreuodd Maer Croesoswallt a'r Clerc Trefol y gwasanaeth pryd y cofiodd rhywyn iddo weld clerigwr yn pysgota mewn afon gerllaw. Cyrchwyd ef, a gwnaeth ei ymddangosiad yn ei lodrau pysgota, gan weinyddu'r seremoni.

Mehefin 1899.

Dydd Llun diweddaf, cynhaliodd Annibynwyr Arfon eu cymanfa ganu fawr ym mhafiliwn Caernarfon. Dylifodd pobloedd i'r dref mewn tri ar ddeg o drenau arbennig, mewn ugeiniau o gerbydau, a lluoedd a'r droed, fel yr oedd yn y pafiliwn uwchlaw saith mil o bobl, y cantorion eu hunain yn rhifo tua phedair mil. Yr arweinydd ydoedd Mr Harry Evans, Dowlais, yr hwn a ddangosodd fedr neillduol, a chafwyd canu gwir ragorol. Cynorthwyid y cantorion gan gerddorfa gref wedi ei gwneudi fyny o offerynwyr o wahanol ranau o'r sir.

16 Mehefin 1904.

Ar 2 Tachwedd 1904, cafwyd ergyd drom i'r *Cymro*, ac i Gymru'n gyffredinol, pan fu farw Isaac Foulkes yn sydyn, yn y Rhewl, ger Rhuthun, yn 68 mlwydd oed. Cafodd ei gladdu gydag Anna, ei wraig gyntaf, ym mynwent Llanbedr.

Yn dilyn ei farwolaeth, rhoddwyd *Y Cymro* ar y farchnad, ac ar 12 Hydref 1905, cwblhawyd y pryniant, a throsglwyddodd ei weddw, Mrs Sinah Foulkes, yr ôl-weinyddes, y busnes o argraffu a chyhoeddi i'r *Cymro* Publishing Co, Paradise Street, Lerpwl.

Daeth newid eto ychydig dros flwyddyn yn ddiweddarach, ar 1 Tachwedd 1906, pan ymddangosodd y geiriau hyn yn *Y Cymro*: 'Printed and Published for the proprietors, The Jenkyn Printing and Publishing Co Ltd. By Thomas G. Jenkyn, 8 Paradise Street, Liverpool – Published also at 53 Fleet Street, London. E. C.'.

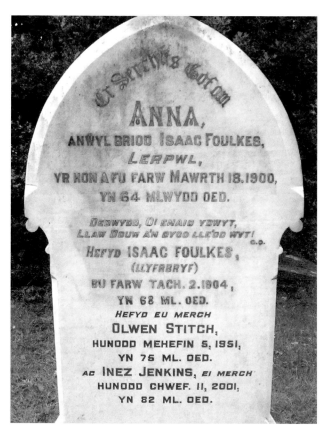

Uchod: Carreg fedd Isaac Foulkes.
Isod: Porth eglwys Sant Pedr, Llanbedr Dyffryn Clwyd.

Cymro Lerpwl yn symud i'r Wyddgrug, 1907 – 1909

Ar 18 Ebrill 1907, daeth tro ar fyd. Cafodd *Y Cymro* ei symud i'r Wyddgrug, ac unwaith eto, roedd yn y papur y geiriau: 'Printed and Published by The Cymro Publishing Co., New Street, Mold, and Venice Chambers, 61 Lord Street, Liverpool'. Yn y rhifyn yma o'r *Cymro* hefyd, ceir nodyn at Gymry Lerpwl a'r cylch yn sôn fod cynnydd sylweddol yn y cylchrediad a bod angen darparu peiriannau newydd, fod yr argraffdy presennol yn Lerpwl yn rhy fach ac anghyfleus, a'u bod bellach wedi gwneud trefniadau i argraffu yng Nghymru.

Dywedir bod rhyw bersonau yn lledaenu chwedlau anwireddus yn y ddinas ynglŷn â dyfodol *Y Cymro*. Mae'r nodyn yn pwysleisio mewn print bras dwyieithog fod *Y Cymro* yn cael ei gyhoeddi yn Lerpwl ers yn agos i ddeunaw mlynedd, ac y parheid i wneud hynny, a bod ei gylchrediad yn fwy nag erioed.

Er hynny, ddwy flynedd yn ddiweddarach, a chwta bum mlynedd wedi marw ei sylfaenydd, bu farw'r pedwerydd *Cymro*. Ai hwn fyddai'r *Cymro* olaf, tybed?

Cymro Dolgellau, 1914 – 1931

Ymhen pum mlynedd, ymddangosodd papur newydd Cymraeg yn Nolgellau. Papur oedd hwn i gystadlu â'r *Goleuad*, sef papur yr Hen Gorff fel y'i gelwid y pryd hynny. Roedd yn llawn o adroddiadau Cyfarfodydd Misol a Chyfarfodydd Sefydlu Gweinidogion, Congl y Plant, Urdd Meibion Dirwest, Nodiadau a Newyddion Wythnosol, Genedigaethau, Priodasau a Marwolaethau ac yn y blaen, a'i arwyddair oedd: 'At Wasanaeth Crefydd, Llenyddiaeth, Gwleidyddiaeth a Moesau'. Trefnwyd cystadleuaeth i ddewis teitl, gan gynnig gwobr am yr un gorau, a'r teitl ddewiswyd oedd, unwaith yn rhagor, *Y Cymro*!

Dyn ifanc o'r enw Evan William Evans o Gae Einion, Dolgellau, oedd tu ôl i'r fenter yma. Cafodd ei addysg yn Ysgol Ramadeg Dolgellau, ac yna aeth i weithio i swyddfa'r *Herald* yng Nghaernarfon.

Wedi i'r gwaith o argraffu'r *Goleuad* gael ei symud o Gaernarfon i Ddolgellau, dychwelodd Evan William Evans hefyd i Ddolgellau, ac yn fuan daeth y swyddfa lle'r argreffid *Y Goleuad* yn eiddo iddo fo. Fe wnaeth drefniant gyda chwmni'r papur i olygu a chyhoeddi *Y Goleuad* ar eu rhan, ac fe wnaeth hynny o 5 Gorffennaf 1884 hyd 26 Mehefin 1914.

Felly, ar 1 Gorffennaf 1914, ganwyd y pumed *Cymro*, a bu Evan William Evans, a'i deulu hefyd yn ddiweddarach, yn gyfrifol am ei barhad yn ffyddlon hyd fis Medi 1931.

Dyma ychydig o'i flas:

Taerir gan wŷr da a llygadgraff fod y Ddrama wedi dod i aros yng Nghymru, ac mai ofer fydd pob ymgais mwy i'w gyru ymaith.

1 Gorffennaf 1914.

Cyfeirir pob gohebiaeth fel a ganlyn – To the Editor of the 'Cymro' Dolgelley, North Wales.

Hir oes i'r 'Cymro' ydyw dymuniad calon ei ddarllenwyr yn y Borth, Ceredigion. Yr ydym wedi addaw gwneuthyr ein goreu i ledaenu ei gylchrediad.

Cymro annwyl cerdda'n wrol,
D'wed y gwir wrth Gymru lân.
Argyhoedda a cherydda,
Dysg i Gymru fyw yn dda.

W J Lunt
15 Gorffennaf 1914.

Gŵr yn teithio'n gyflym yw y Parch. T E Nicholas awdur 'Salmau'r Werin' a llyfrau eraill. Yn ei bamphled ddiweddaraf dywed 'nas gall yr Anfeidrol wneud dim heb ganiatâd Lloyd George a John Williams Brynsiencyn.

3 Chwefror 1915.

Dywed Dr Owen Evans pan ordeiniwyd ef mewn eglwys yn sir Fon eu bod yn deulu o dri, sef gwraig, plentyn ac yntau, a £15 y flwyddyn oedd y cyflog a addawyd iddo! Dywedodd Mr James Evans, Caerdydd, fod ei enwog daid Morgan Howell, wedi dyfod adref o daith yn y Gogledd heb ddimai yn ei logell! Bydd rhywrai ymhen can' mlynedd yn synu sut y llwyddodd gweinidog yn 1919 i fagu hanner dwsin o blant ar bunt yr wythnos.

19 Mawrth 1919.

Rhyfedd yr amrywiaeth geir mewn beddargraffiadau. Ar garreg fedd ym mynwent Llanymynech ceir a ganlyn;

> 'In crossing o'er the fatal bridge,
> John Morgan he was slain,
> But it was not by mortal hand,
> But by a railway train.'

23 Gorffennaf 1919.

Cymraeg glan gloew oedd iaith y plant pan yn chwarae ar y stryd yn Rhydaman wythnos yr Eisteddfod fawr. Dywed hyn, mai honno yw'r iaith a arferir ganddynt bob wythnos arall. A'r hyn sydd yn rhyfedd yw, gallant siarad Saesneg yn rhwydd ac yn rhygl. Ond iddynt fod yn deyrngarol, Cymraeg fydd iaith yr ardal pan ddaw yr Eisteddfod Genedlaethol ar ei thro yno eto.

23 Awst 1922.

Erbyn 1931, roedd *Y Cymro*, Dolgellau, yn prysur golli'r dydd, ac ym mis Medi y flwyddyn honno, prynwyd y teitl gan ŵr o'r enw Rowland Thomas er mwyn cael ei roi ar bapur newydd cenedlaethol Cymraeg. Hyn felly yn dod â *Chymro* arall, y pumed *Cymro* erbyn hyn, i ddiwedd ei oes.

Cymro Croesoswallt, 1932 –

Ar 3 Rhagfyr 1932, gwelwyd sefydlu ein *Cymro* presennol gan Rowland Thomas, gŵr uniaith Saesneg o sir Amwythig, pennaeth cwmni argraffu a chyhoeddi Woodall Minshall Thomas, oedd erbyn hyn yn ymgorffori cwmni Hughes a'i Fab.

Cyhoeddwyd y papur yn ddi-feth am lawer o flynyddoedd gan y cwmni o Wasg y Dywysogaeth Wrecsam a'r Caxton Press yng Nghroesoswallt, ac yn aml drwy gyfnodau digon caled a dyrys.

Bwriad Rowland Thomas oedd sefydlu papur newydd Cymraeg. Roedd wedi prynu cwmni

Rowland Thomas

John Eilian

Hughes a'i Fab yn y flwyddyn 1925 ac eisoes wedi cyhoeddi cyfrolau *Llyfr Mawr Y Plant* (Jenny Thomas a J O Williams) a'r cylchgrawn poblogaidd *Cymru'r Plant*. Hwyrach mai'r ffaith iddo briodi Cymraes o Sir Fôn oedd yn gyfrifol am y diddordeb rhyfedd yma oedd ganddo mewn iaith na allai ddarllen na siarad gair ohoni. Credai yn gydwybodol fod angen mwy na llyfrau i gadw'r iaith, a dyna oedd ei freuddwyd fawr – cael cyhoeddi papur newydd Cymraeg cenedlaethol.

Aflwyddiannus fu ei gais, sawl tro ers 1922, i gael prynu, neu hyd yn oed argraffu *Y Goleuad*, papur y Methodistiaid Calfinaidd, ond llwyddodd i brynu am £250, bapur bach lleol Cymraeg, sef *Y Cymro*, a gyhoeddid yn Nolgellau ers 1914, ac a oedd bellach yn brwydro am ei einioes.

Golygydd cyntaf *Y Cymro* newydd yma oedd John Tudor Jones (John Eilian), bardd a golygydd a aned yn Llaneilian, Ynys Môn. Cafodd ei addysg yng Ngholeg Prifysgol Cymru Aberystwyth ac yng Ngholeg yr Iesu, Rhydychen. Bu ar staff y *Western Mail*, y *Daily Mail*, y *Daily Express* a'r BBC. Fo hefyd oedd sefydlydd a golygydd *Y Ford Gron*, misolyn a gorfforwyd yn *Y Cymro* yn ddiweddarach.

Dyma ran o'r hyn a ysgrifennodd John Eilian yn rhifyn pen-blwydd cyntaf *Y Cymro*:

Y mae'r 'Cymro' yn flwydd oed heddiw. Ar y Sadwrn cyntaf ym mis Rhagfyr 1932, y cyhoeddwyd y rhifyn cyntaf. Nid peth bychan oedd mentro allan gyda phapur fel *Y Cymro* ar amseroedd mor groes. Fe gychwynwyd amryw bapurau Saesneg yn ystod y ddwy flynedd a aeth heibio a ber fu eu hoes – rhyw ychydig fisoedd. Ond y mae'r Cymro' – yn Gymraeg, i Gymru – heddiw'n gallu edrych ymlaen yn hoyw i wyneb y blynyddoedd sy'n dyfod. Am hynny rhoddwn ddiolch.

Pen-blwydd *Y Cymro*

Bu gwaith paratoi manwl am amser maith cyn cyhoeddi'r rhifyn cyntaf, gan gynnwys chwilio am staff golygyddol ac am ohebwyr dibynadwy ar gyfer pob ardal yng Nghymru. Roedd angen trafaelwyr i ymweld â'r holl werthwyr papurau, ac angen cyfeillion gyda digon o ddiddordeb i hybu gwerthiant yn eu hardaloedd eu hunain. Ar ben hyn i gyd, roedd yna waith trefnu sut i ddosbarthu'r papur, a hynny i bob cwr o'r wlad, a gwneud yn siŵr ei fod yn cyrraedd pob gwerthwr mewn pryd.

O fewn blwyddyn i sefydlu *Y Cymro*, daeth cyfle (am yr ail waith) i'r cwmni brynu papur newydd o'r enw *Montgomery Express*, a gwnaed hynny y tro yma am £1,000.

Gyda'r cwmni erbyn hyn yn ymgorffori mwy

o deitlau, ynghyd â gwariant sylweddol, a'r holl wlad yn wynebu cyfnod o ddirwasgiad, doedd pethau ddim yn hawdd o bell ffordd ym myd y papurau newydd. Roedd Rowland Thomas, er hynny, yn brwydro i wireddu ei freuddwyd. Aeth ar daith o amgylch Cymru i hybu ac i ddenu mwy o gefnogaeth. Roedd ganddo gysylltiadau, drwy Hughes a'i Fab, gydag awduron a llawer o enwogion

amlwg iawn ym mywyd Cymru. Roedd croeso i'r syniad, a derbyniodd £4,000 o fenthyciadau gan wŷr amlwg fel yr Arglwydd Davies o Landinam a Syr Ifan ab Owen Edwards.

CWYN YN ERBYN GORSEDD Y BEIRDD
Newid Testunau 1934
Y Gadair a'r Goron

Dywedodd un gŵr amlwg wrthyf:

"Credaf i'r ddirprwyaeth a ddaeth oddi wrth Orsedd y Beirdd wneud cam â'r pwyllgor llên wrth newid testun yr awdl o 'Hydref' i 'Ogof Arthur' a thestun y bryddest o 'Bid ben bid bont' i 'Y Gorwel'.

Y mae'n ddigon amlwg i mi fod y pwyllgor wedi treulio mwy o amser i benderfynu'r testun na'r ddirprwyaeth hon."

ARAITH 'DDAL ATI' MR LLOYD GEORGE
'Llywodraeth Gwraig Lot'

Gan Ein Gohebydd Arbennig

"Parti pen blwydd mawr yw hwn, y mwyaf a welsom a'r mwyaf a welwn." Meddai'r llywydd, 'Rhoes tyrfa o bum mil groeso gwresog i Mr Lloyd George pan gododd i siarad'.

"Hen gi defaid wyf," meddai Mr Lloyd George, "wedi gofalu am y ddeadell ers dwy genhedlaeth. Yn yr etholiad diwethaf ni ellais ond cyfarth, a hynny'n egwan, ond fe aethom i'r gorlan iawn, ac nid i'r gors.

Cymerais lŵ pan oeddwn yn ifanc meddai, y mynnwn wneud rhywbeth i wella amodau byw y rhai oedd mewn angen."

Er yr holl baratoi, a'r holl ddiddordeb mewn cael

papur newydd cenedlaethol Cymraeg, siomedig oedd ei werthiant. Gwnaeth golled o £5,046 dros y ddwy flynedd gyntaf. Teimlai Rowland Thomas yn drist nad oedd ei obeithion mawr a'r holl baratoi manwl wedi dwyn ffrwyth. Credai nad oedd gan bobl ddigon o ddiddordeb i'w brynu, neu na allent fforddio ei brynu. Roedd hi'n anodd denu hysbysebion, ac ofnai weithiau fod llawer o Gymry yn methu darllen Cymraeg.

Gadawodd John Eilian ei swydd fel golygydd *Y Cymro*. Aeth yn ôl i newyddiadura yn Saesneg ym Manceinion. Bu'n gweithio dramor, cyn dod, yn ddiweddarach, yn gyfarwyddwr rhaglenni i'r BBC yng Nghaerdydd ac yna yn Llundain.

Allai Rowland Thomas ddim troi ei gefn ar y fenter; nid dyna'r math o berson oedd o. Daliodd i frwydro'n galed i geisio lleihau'r colledion trymion trwy dorri i lawr ar y costau, a hynny yn wyneb gostyngiad mawr flwyddyn ar ôl blwyddyn yng ngwerthiant *Y Cymro*. Syrthiodd derbyniadau gwerthiant o £5,523 yn 1934 i £4,515 yn 1935, ac erbyn 1938, roeddent wedi syrthio cyn ised â £3,029 – a hyn wrth gwrs yn effeithio'n drwm ar 'lif arian' cwmni a oedd eisioes yn gorfod mynd i'w 'cronfeydd wrth gefn' i dalu buddrannau i'w cyfranddalwyr.

Fodd bynnag, ar ôl llawer iawn o newidiadau anodd a chymhleth oddi mewn i'r cwmni, dangosodd cyfrifon Mawrth 1939 fod ychydig o arian yn weddill, hyd yn oed ar ôl talu i'r cyfranddalwyr. Roedd y cyfrifon hefyd yn dangos fod *Y Cymro* am y tro cyntaf erioed yn ei hanes wedi gwneud elw o

£161 trwy gyllid hysbysebu, ac o'r diwedd, trwy gynnydd amlwg yn y gwerthiant.

NEWYDDION

Gofyn yn Saesneg i Gyngor Gefnogi'r Gymraeg

Fe gytunodd Cyngor Penllyn (Bala) i gefnogi penderfyniad Cyngor Tref Caernarfon yn galw am benodi un yn medru Cymraeg yn archwilydd cyfrifon dros Ogledd Cymru. Llythyr Saesneg a anfonodd Cyngor Caernarfon yn gofyn am gefnogaeth i'w penderfyniad, ac awgrymodd Mr J Watkin Jones eu bod yn haeddu cerydd am hynny. Pasiwyd i ateb yn Gymraeg.

8 Ebrill 1933.

EU SICRHAU'N GYNNAR

Y mae'r Parch. Jiwbilee Young a'r Parch R Parri Roberts, Mynachlog Ddu, Sir Benfro, eisioes wedi eu sicrhau i bregethu yng Nghymanfa Bedyddwyr Môn y flwyddyn nesaf.

15 Gorffennaf 1933.

DIRGELWCH PLA GWYN CYMRU

Marw Mawr lle mae'r Gymraeg Gryfaf

Effaith Ymwelwyr o Loegr?

Gan ein gohebydd yn y gynhadledd

Un o'r pethau rhyfeddaf a ddywedwyd yng nghyfarfod blynyddol Cymdeithas Atal y Darfodedigaeth, yng Nghaerdydd, oedd mai yn y siroedd lle mae'r iaith Gymraeg gryfaf y mae mwyaf o farw o'r 'pla gwyn' hwn. Dywedodd Dr. A C Watkins, swyddog darfodedigaeth Sir Amwythig, fod mynyddoedd a môr wedi gwahanu'r siroedd hynny oddi wrth Loegr, ac wedi diogelu iaith ac iechyd yn hir. Yr oeddent yn dir cymharol newydd i'r pla, ond y mae'r lli ymwelwyr Seisnig yn ystod y 50 mlynedd diwethaf wedi dod a chyfleusterau newydd i ddal yr haint.

22 Gorffennaf 1933.

PEDAIR MILIWN A HANNER O'N POBL AR RHY FYCHAN O FWYD A 'GORMODEDD' YN DRYGU AMAETHWYR

Dognau'r Tlawd yn Peri i Lygod Edwino

Cyfyngu Cynyrch Ddim i Barhau

gan ein gohebydd arbennig

Y mae pedair miliwn a hanner o bobl yn y wlad hon nad ydynt yn gwario dim mwy na phedwar swllt y pen bob wythnos am fwyd. Ar y bwyd y mae'r rhai tlotaf yn ceisio byw arno fe fyddai llygod mawr yn fuan iawn yn dangos eu bod yn diriwio.

Dyna ddwy ffaith y galwyd atynt gan wyddonwyr yn ystod y dyddiau diwethaf.

15 Chwefror 1936.

Yn *Y Cymro* ar 5 Hydref 1935, ymddangosodd y canlynol:

Wedi cyflawni un o anghenion Cymru am bum mlynedd, fe gyhoeddwyd y rhifyn olaf o'r 'Ford Gron' ddydd Mercher, ac o hyn ymlaen fe wneir teitl y cylchgrawn misol yn îs deitl i'r 'Cymro.' Bwriedir cynnwys rhai o brif nodweddion 'Y Ford Gron' yn '*Y Cymro*.'

DATLENIAD RHYFEDD YN YMCHWILIAD I DRYCHINEB GRESFORD

Plan a Ffigurau Anghywir
Galw am Wneud Esiampl o'r Rheolwr
Cyhuddiadau heb eu Profi

Rhywun wrth ddefnyddio'r teleffon wedi achosi fflach a pheri i'r nwy oedd yn y lle ffrwydro – dyna'r eglurhad i drychineb Gresford lle y collodd 265 o ddynion eu bywydau, yn ôl awgrym a wnaed gan un o arolygwyr y Llywodraeth yn yr ymchwiliad swyddogol i'r trychineb a fu'n eistedd yr wythnos hon.

Yn eisteddiadau'r wythnos hon gwnaed datganiadau rhyfedd, yn dangos fod cynlluniau a ffigurau anghywir wedi eu cyflwyno i'r Llys Ymchwil yn gynharach yn yr ymchwiliad.

Addefodd un o swyddogion y Lofa fod ei lyfr yn cynnwys manylion nad oedd erioed wedi eu cymryd, a dywedodd mai rheolwr y Lofa a ddywedodd wrtho am ddweyd hynny.

18 Mehefin 1936.

Yn y flwyddyn 1936, ymunodd Geoff Charles â'r cwmni fel tynnwr lluniau. Roedd Geoff yn enedigol o bentref bychan Brymbo, ger Wrecsam, a rhan helaeth o'i waith y cyfnod hwnnw yn gysylltiedig â phapurau Saesneg y cwmni, a'r papurau hynny oedd yn talu ei gyflog.

Yn ôl pob sôn, Ted Brown, gŵr o Bontypridd ond a oedd wedi ymgartrefu yn Llanidloes ar ôl y rhyfel, oedd y tynnwr lluniau cyntaf i gael ei gyflogi'n llawn amser ar *Y Cymro*, a Robin Griffith, brodor o Edern ger Pwllheli, yn mynd ato fo'n brentis i rif 46, Stryd Llyn, Caernarfon, ym mis Mai 1950. Tros y blynyddoedd mae sawl tynnwr llun arall hefyd wedi bod yn gysylltiedig â'r *Cymro*.

Aeth Ted Brown ymlaen i fyd teledu tua 1956, ac aeth Robin Griffith i fyd y radio ym 1958, yr un flwyddyn ag y symudodd Geoff Charles i fyw o Groesoswallt i Fangor a dod yn dynnwr lluniau llawn amser i'r *Cymro*.

Yn 1939, dilynwyd John Eilian fel golygydd gan ddau gyd-olygydd, Einion Evans a J R Lloyd Hughes. Einion Evans a'i deulu oedd piau *Y Cymro* pan oedd yn bapur Dolgellau. Brodor o Fryn Teg, Ynys Môn, oedd J R Lloyd Hughes – 'arlunydd medrus oedd wedi cael peth hyfforddiant yn y *Slade* yn y dyddiau pan oedd Augustus John yno, ond y papurau newydd oedd ei hoffter mawr'. Gwelwyd sawl enghraifft o'i waith fel cartwnydd yng ngholofnau'r *Cymro*.

Dywedir amdano hefyd, pan oedd yn gweithio i'r *Western Mail* yng Nghaerdydd, 'pan fyddai rhywun o bwys wedi marw'n sydyn, anfonid ef yn aml i weld y corff a gwneud llun o'r pen ar gyfer y papur. Ni allai y wasg newyddiadurol yn ystod y cyfnod hwnnw argraffu ffotograffau, dim ond argraffu lluniau o linellau'.

Yn y flwyddyn 1939, daeth y newyddiadur cenedlaethol, *Y Brython*, yn rhan o'r *Cymro*. Dyma a gyhoeddwyd yn *Y Brython*, ar 23 Chwefror, gan gyfarwyddwyr cwmni Hugh Evans a'i Feibion, sef E Meirion Evans a Howell Evans, dan y pennawd 'Wedi 33 mlynedd':

> Diau y pair syndod i lawer o'n darllenwyr dderbyn y newydd fod 'Y Brython' yn ymuno â'r 'Cymro' ac mai hwn yw'r rhifyn olaf o'r 'Brython' fel newyddiadur annibynol.
>
> Bu'r cynnydd diweddar mewn costau argraffu, a'r lleihad yn nifer y rhai a werthfawrogant newyddiadur

Ted Brown, tynnwr lluniau llawn amser cyntaf Y Cymro; *Tommy Hunter, tynnwr lluniau y* Wrexham Leader, *ond yn tynnu yn achlysurol i'r* Cymro; *a Tom Morgan, fu'n gweithio i'r Urdd ac yn crwydro Cymru gyda ffilmiau Syr Ifan ab Owen Edwards. Daeth i weithio i'r* Cymro *yn 1949 i ddangos* Yr Etifeddiaeth *a ffilmiau eraill.*

Geoff Charles.

Will Williams, swyddog marchnata, a Robin Griffith, yn ffotograffydd ifanc.

Dau ffotograffydd: Raymond Daniel a Ron Davies.

Cymraeg, ac anhawster i gael hysbysebion, yn drech na ni, er i ni aberthu cryn lawer o'n hegni a'n hadnoddau i geisio cario ymlaen. Os bydd hyn yn rhyfedd i'r Cymry ac yn alwad ddi-oed arnynt i gefnogi hyd eithaf eu gallu newyddiaduron a llenyddiaeth Gymraeg, hwyrach na bu ein haberth yn gwbl ofer. Eithr y mae i ni ryw gymaint o fwynhad yn y ffaith fod 'Y Brython' wedi byw'n hwy na'r un papur Cymraeg arall a gyhoeddwyd o dro i dro yn Lerpwl – 'Yr Amserau' 1843-1859, 'Y Dinesydd' 1889-1890 (9 mis) a'r 'Cymro' (I Foulkes) 1890-1907.

Diddorol yw sylwi fod *Y Brython* wedi cychwyn yn Lerpwl yn y flwyddyn 1906, ddwy flynedd ar ôl marw Isaac Foulkes.

NEWYDDION
Cais am Newid Enw Pentref

Yng Nghyngor Gwledig Rhuthun ddydd Llun darllenwyd llythyr oddi wrth arolygydd adrannol teliffon yn gofyn i'r Cyngor ganiatau newid enw pentref Gyffylliog i 'Rhuthyn Orllewin' oblegid iddo dderbyn cwyn yn erbyn yr enw.

Yn ei lythyr dywaid yr arolygydd fod pobl yn cael trafferth i ddweud yr enw Gyffylliog. Gan na allent sillebu'r enw gofynnid am ei newid i bwrpas teliffon, a bod nifer o wasanaethyddion swyddfa'r teliffon yn Saeson.

Yn ei atebiad dywedodd clerc y cyngor gan mai Sais oedd yn cwyno yr oedd yn amhosib i'r cyngor ganiatau newid yr enw.

Cadarnhaodd y cyngor waith y clerc yn unfrydol.

14 Ionawr 1939.

HITLER YN DEWIS LLWYBYR RHYFEL

Ymdrechion Heddwch yn Ofer – ond Prydain yn Barod

Am yr ail waith mewn chwarter canrif y mae rhyfel wedi ei gyhoeddi rhwng Prydain Fawr a'r Almaen. Am chwarter wedi un-ar-ddeg ar fore Sul llariaidd o Fedi bu'n rhaid i Mr Neville Chamberlin, y Prif Weinidog, hysbysu'r wlad fod pob gobaith o ddealltwriaeth heddychol rhwng y ddwy wlad wedi diflannu, ac fod yr hyn a fawr ofnodd ac y cysegrodd ei oes i'w gadw wedi dod.

9 Medi 1939.

Yn y flwyddyn 1939, a'r cwmni newydd brynu *Y Brython* am ganpunt, ymunodd gŵr ifanc o bapurau'r *Herald*, John Roberts Williams, gyda'r *Cymro* yng Nghroesoswallt – gŵr nad oedd, yn ei eiriau ei hun, yn croesawu unrhyw newid, ond nad oedd chwaith yn ei weld ei hun yn hel newyddion lleol Llŷn ac Eifionydd am byth. Erbyn 1946, ef oedd golygydd *Y Cymro*, a bu yn y swydd honno hyd 1962. Yn ystod ei olygyddiaeth, cododd cylchrediad y papur yn sylweddol, miloedd o gopïau yn fwy na'r hyn ydi o erbyn heddiw, gwaetha'r modd.

John Roberts Williams gychwynodd y golofn Gymraeg gyntaf erioed am bêl-droed dan enw 'Y Gwyliwr', a hynny yn *Y Cymro*. Fo oedd awdur yr ysgrifau 'Rhyngom Ni â'n Gilydd,' ac ia, fo hefyd oedd John Aelod Jones.

MAE'R CORAU WEDI CYRRAEDD MADRID – HETIA A'R CWBL

Oddi wrth John Aelod Jones

Mae'r hetiau Cymreig ar eu ffordd i Sbaen, a heno fe'u gwelais yn cyrraedd Paris ar ysgwyddau ac ym mocsus genethod Coedpoeth. Am chwarter wedi wyth fore Mercher fe gyrhaeddwn Madrid. Ac yno fe'u gwisgir, ac fe wisgir y 'wisg Gymreig' hefyd mewn gorymdaith gydwladol fawr cyn i'r Sbaenwyr gynnal eu Heisteddfod Gydwladol gyntaf erioed.

Hyderaf y cyrhaedda'r hetiau ben eu taith yn ddianaf (mae ôl anrhaith y daith yn dechrau ymddangos ar rai ohonynt eisioes). Canys addas dros ben fydd y gynrychiolaeth Gymreig yn y brifddinas dramor ym mynyddoedd Sbaen. Wedi'r cyfan, Eisteddfod y Cymry'n lledu ei hadenydd yw hi.

Eisioes cyrhaeddodd dawnswyr bach Caergybi gadarnle Franco. A bydd cor meibion Broughton a chor merched y Rhyl wedi cyrraedd ddiwrnod o'n blaenau ni. Yna i'r frwydyr y mae 27 o ferched a 23 o fechgyn rhwng 15 a 23 oed yng Nghor Coedpoeth – ac nid oes un ar ôl. Yr oedd y £900 angenrheidiol at dalu eu costau wedi ei gasglu cyn iddynt gychwyn – a'r fath gychwyn oedd hwn, rhyw bumcant o drigolion Coedpoeth wedi ymgasglu i weiddi 'Hwre' a 'Lwc Dda' cyn iddynt fynd ar y tren nos Sadwrn – i deithio nos a dydd nes cyrraedd pen y daith.

Gallaf ddweud yn awr mai'r un Cymro yw Sefydlydd

Côr Merched Coedpoeth ar y ffordd i Madrid.

Eisteddfod Gydwladol Llangollen ac Eisteddfod Gydwladol Madrid – Mr Harold Tudor. Mwy am hyn eto pan ddychwelaf i Gymru.

3 Mehefin 1949.

Yn y cyfnod yma y trodd Rowland Thomas ei olygon i fyd y ffilmiau, a dyna pryd y daeth John Roberts Williams a'i ffotograffydd Geoff Charles yn uned ffilmio. Cynhyrchwyd y ffilm ddogfen Gymraeg gyntaf, *Yr Etifeddiaeth,* sef hanes y plant bach a anfonwyd o Lerpwl i Ben Llŷn yn ystod yr Ail Ryfel Byd, a mynd adre'n ôl ar derfyn y rhyfel yn siaradwyr Cymraeg rhugl. Yr ail fenter oedd *Tir na'n Og,* ffilm a gynhyrchwyd yn yr Iwerddon i ddarlunio cysylltiadau cryf rhwng y gwledydd Celtaidd, ffilmio corau ym Madrid, ac yn olaf, ffilm ar gynhyrchu papur newydd.

Daeth bri mawr ar y gystadleuaeth 'Ble Mae'r Bêl?' gyda llawer o'r darllenwyr yn prynu cymaint â phedwar copi o'r *Cymro* bob wythnos er mwyn cael ffurflenni cais ychwanegol i godi'r siawns o

£200 CANPUNT I'R CYNTAF **£200**
PUNT I GANT ARALL
£200 **BLE MAE'R BEL?**

Darlun o'r gem: Wrecsam v. Scunthorpe.

ENW ....

CYFEIRIAD ....

John Roberts Williams ar achlysur derbyn gradd anrhydedd gan Brifysgol Bangor.

ennill. Bu 'Ble Mae'r Bel?' yn ffynhonnell elw i'r papur am lawer o flynyddoedd, ond lleihau wnaeth y diddordeb yn y gystadleuaeth pan ddechreuodd y cwmnïau cenedlaethol mawr gynnig cystadlaethau gyda gwobrau llawer mwy. Roedd 'Pwy Yw'r Berta?' hefyd yn gystadleuaeth boblogaidd iawn yn ei chyfnod.

NEWYDDION

Ffatri i Lanrwst

Hysbyswyd gan yr is-gadeirydd fod ffermwyr Llanrwst yn symud ymlaen i sefydlu ffatri laeth yn y cylch hwnnw.

Bu dirprwyaeth yn cynrychioli'r ffermwyr awyddus i redeg y ffatri eu hunain, yn cyfarfod cynrychiolwyr o'r Bwrdd Llaeth yn ddiweddar ynglyn a'r mater. Gofynnai am gefnogaeth lawn y gangen sir i ymdrechion amaethwyr Llanrwst i sicrhau ffactri o'r eiddo eu hunain.

26 Mehefin 1943.

'Rwy'n edrych dros y bryniau pell.'

Symudodd Carneddog (Mr Richard Griffith) a'i briod i Loegr ym mis Medi diwethaf ar ôl byw am dros bedwar ugain mlynedd yn y Carneddi, eu fferm ar lethrau'r Eryri. Tynnwyd y darlun yma gan 'Y *Cymro*' o'r ddau yn sefyll ynghyd gerllaw'r cartref i ffarwelio a'r hen gynefin.

28 Rhagfyr 1945.

NEWYDDION DA I GYMRO

Y mae dydd y disgwyliodd 'Y *Cymro*' a miloedd o Gymry amdano am pum mlynedd gerllaw. O rifyn Medi 27 ymlaen bydd digon o gopiau o'r Cymro ar gyfer pawb a'i myn a'r gael.

Ar ben hyn caniateir digon o bapur i argraffu 'Cymro' 16 tudalen bob yn ail a'r un deuddeg tudalen.

Felly, gall ein darllenwyr ffyddlon presennol, sy'n

fwy niferus eisioes na darllenwyr yr un papur Cymraeg arall, yn ogystal a'r rhai sy'n methu a sicrhau'r 'Cymro' yn awr fanteisio ar wasanaeth ehangach fyth. Ond ni chaniateir rhoi'r telerau heddwch i'r gwerthwyr – sef anfon helaethrwydd o gopiau iddynt a derbyn y rhai na ddigwyddir moi gwerthu yn ol.

30 Awst 1946.

Yn Eisteddfod Genedlaethol Bae Colwyn ym 1947, am ei waith mawr yn hyrwyddo'r iaith Gymraeg, derbyniwyd Rowland Thomas yn aelod o Orsedd y Beirdd, a'i enw barddol oedd Rowland Tudur.

UN STAD WEDI EI PHRYNU GAN EI THENANTIAID

Rhan o stad a brynwyd gan y tenant Mrs M W Hughes yw Llwydiarth Hall, hen gartre'r Fychaniaid a rhai o'r Wynniaid.

A fferm arall a brynwyd gan y tenant yw Dolwar Fach, cartref Ann Griffiths, yr emynyddes. Mrs R Jones ydi tenant presennol Dolwar Fach, ei mam hi a'i nain o'i blaen fu'n ffermio yma wedi i deulu Ann Griffiths ymadael (bu Ann Griffiths farw yn 1805 yn 29 oed).

6 Mehefin 1946.

PERYGL Y SANATORIUM

Mae pryder yn sanatorium fawr Llangwyfan. Y mae oddi fewn i'r tir a fygythir gan yr awdurdodau milwrol. Hon yw'r sanatorium fwyaf yng Nghymru a gwneir gwyrthiau ar ddioddefwyr o'r darfodedigaeth yno. Un o

Dau Gyfaill – y bibell a'r papur

Llun o Mr John Lewis Thomas o Lanllwni, Pencader, Sir Gaerfyrddin, saer coed ac adeiladydd, yn mwynhau mwgyn wrth ddarllen ei hoff bapur newydd, Y Cymro. *Tua 1940 (gyda chaniatâd ei ferch, Mrs Greta Walters).*

brif anghenion sefydliad fel hwn yw tawelwch.

Gwaeth na hyn y mae'r awdurdodau yn y sanatorium yn ofni effaith ergydion yn y cyffiniau ar feddygon pan fyddant yn rhoi triniaeth lawfeddygol i gleifion. Geilw triniaeth o'r fath am amodau delfrydol. Gall cynhyrfiad o'r tu allan effeithio'r mymryn lleiaf ar sefydlowgrwydd llaw'r meddyg.

"Dibynna bywyd y claf ar y sefydlowgrwydd yma, Gallai cynhyrfiad olygu bywyd neu farwolaeth" meddai Dr Hawkins, prif feddyg y sefydliad wrthyf.

Dechreuwyd adeiladu'r sanatorium hon yn 1914, daeth y cleifion cyntaf yma yn 1916 – 1917 ac fe'i hagorwyd yn swyddogol yn 1920.

Ceir tywydd gyda'r tyneraf yng Nghymru yn y fangre hon ac y mae golygfeydd godidog yma. Ac yn y coed ar lethr y bryn y mae'r sanatorium ei hun yn sefydliad eithriadol o hardd.

"Y mae meddwl symud oddi yma yn awr allan o'r cwestiwn" meddai Dr Hawkins, "Daw rhai sy'n dioddef o'r ddau fath o'r darfodedigaeth yma, ac ychydig iawn o rai a aeth yn achosion difrifol a ddaw i mewn. Fe a cyfartaledd helaeth adref wedi llwyr wella".

31 Ionawr 1947.

LLYGOD MAWR

Dywedodd Mr Ralph Price yng nghyfarfod cyngor dinesig Abertileri, nos Wener, bod llygod mawr i'w gweld wrth y cannoedd ar Barc y Rhiw, yn y dref, a rhai ohonynt ddwy droedfedd o hyd. 'Gellwch wenu' meddai, ond mae'n berffaith wir.'

Aeth aelod arall un ymhellach pan ddywedodd y tynwyd ei sylw at ffaith bod llygod mawr yn neidio ar liniau pobl yn y sinema.

20 Chwefror 1948.

Y FFLAMAU'N YSU YSBYTY AR Y GOROR

Y mae rhan helaeth o ysbyty enwog Gobowen, Croesoswallt – Ysbyty'r Crupliaid (yr Orthapaedic Hospital) ac un o'r rhai gorau o'i fath yn y byd – wedi ei ddifa gan dân.

Nos Fawrth y digwyddodd. Yr oedd yno bump i chwe chant o gleifion – yn dioddef oddi wrth bob math o glwyfau esgyrn – ond achubwyd pob un ohonynt trwy gyflymdra ac arwriaeth y 'nurses' ac eraill.

30 Ionawr 1948.

Ar ôl y tân, lansiodd Rowland Thomas apêl i godi £100,000 tuag at ailadeiladu'r ysbyty.

Gyferbyn: Dolwar Fach, cartref yr emynyddes Ann Griffiths.

TRIGOLION Y NANT A FODDIR YN DAWEL EU MEDDWL

Gan ohebydd Y Cymro

Y mae ffermwyr ffyddiog Nant Ffrancon, yn Eryri, yn gwrteithio'u tir y dyddiau hyn. Ni chredant y daw dim byth i darfu ar hen ddiwydrwydd tawel y dyffryn hwn a grewyd gan y rhew mawr oesau cyn dyfod dyn yno i lafurio. Methant a choelio y bydd ewyn ton cyn hir ar yr erwau y bu cenedlaethau lawer yn eu trin. Eira a rhew yn unig hyd yn hyn a ymyrrodd a'u byd; brwydasant yn eu herbyn a 'dod trwodd' bob tro i dymor plu'r gweunydd a liliau'r gors.

Nant Ffrancon o dan ddwr a rhimyn o goncrid gwyn ar draws y dyffryn I'w gronni yno? "Ni welir mohono byth yn ein hoes ni" meddai Edward Williams, Fferm Ty Gwyn.

4 Chwefror 1949.

Eric Thomas.

Erbyn y flwyddyn 1949 roedd y cwmni mewn sefyllfa ariannol iach. Teimlai Rowland Thomas y gallai fforddio ymddeol, a throsglwyddodd reolaeth y cwmni i'w fab, Eric Thomas. Roedd Eric Thomas wedi bod yn gweithio gyda'i dad ers dwy flynedd a hanner gan fod yn gyfrifol am holl gynhyrchiadau y cwmni.

BU LAWEN Y CYCHWYN OND BU DRIST Y DAITH

Mewn ymchwiliad gan y Weinyddiaeth Drafnid yng Nghyffordd Llandudno ddydd Mawrth, rhoddwyd tystiolaeth am yr hyn a welodd gyriedydd a thaniwr a giard yr 'Irish Mail' yn union cyn i'r tren fynd yn erbyn injan ysgafn ger Penmaenmawr a lladd chwech o bobl a niweidio 35 yn y trychineb angeuol cyntaf a ddigwyddodd ar y rheilffyrdd prydeinig er dwy flynedd.

Wrth gadeirydd yr ymchwiliad Mr G R S Wilson, tystiodd Mr R G Owen, gorsaf feistr Penmaenmawr, fel y codwyd ef o'i wely gan Signalman George Morgan yn oriau man y bore ac fel yr anfonodd ei wraig i gaban teliffon gyferbyn a'r orsaf i alw ar y gwasanaeth ambiwlans a'r brigadau tan, ac yna mynd at y lle y digwyddodd y ddamwain ac i'r 'signal box' i weld safle'r nodwyddau yno.

Cyflwynir yr adroddiad ar y ddamwain i'r Gweinidog Trafnid a bydd yr adroddiad ar werth fel arfer.

1 Medi 1950.

YSGOL NEWYDD MAESTEG

Y Parch W Geraint Owen, gweinidog Bethania, (B), Maesteg, a brodor o Fon gyflawnodd y wyrth i ddiogelu iaith a chrefydd y cwm. Trefnodd ymweliad a phob cartref, a chasglodd y plant wedi ymdrech fawr i ysgol Gymraeg wirfoddol yn festri'r capel. Wedi brwydr fawr fe'i derbyniwyd gan y pwyllgor addysg. Heddiw, yn yr Ysgol Gymraeg yn Nantyffyllon mae 62 o blant Maesteg yn cael cyfiawnder am y tro cyntaf.

10 Chwefror 1950.

I FERCHED – NODWYDDAU

Wedi'r rhyfel y sylweddolwyd y pwysigrwydd o gael gwaith yn ymyl eu cartrefi i enethod a merched ifainc. Daeth y rhyfel â gwaith i ferched Ffestiniog a'r cylch – yn Neuadd y Dref y Blaenau. Gwnant ddilladau milwyr a rhwydi a phethau milwrol o'r fath.

3 Chwefror 1950.

PENTYMOR I HEN WAS

Tybed a fuoch chi'n sgwrsio rywdro a gwr fu'n gweithio yn yr un lle am saith mlynedd a deugain ac a allai ddweyd wrthych gyda phendantrwydd tawel iddo fod yn berffaith fodlon ar ei fyd drwy gydol yr amser hwnnw? Fe'i cwrddais ddydd Iau, ac yn y cyfnod aniddig hwn, y

mae ei debyg yn brin.

Fel hen dderwen braff a wreiddiodd yn ddwfn ac a dyfodd yn dawel fach heb helynt na stwr, felly y gwreiddiodd Thomas Humphreys yn naear un o froydd Cymreiciaf Cymru.

Ac mae'n rhan mor naturiol o'r fro honno ar deri

a dyf o gwmpas y fferm lle treuliodd, fel gwas, y rhan helaethaf o'i oes. Ond gadewch i mi eich cyflwyno i'r fro.

Ar ffiniau tair sir – Aberteifi, Meirionydd a Threfaldwyn – a rhwng dwy dref – Machynlleth ac Aberdyfi, saif pentre bychan Glan Dyfi.

Na chamarweinier neb; y mae hwn yn bentref bychan mewn gwirionedd – dwsin o dai ac un capel. Perthyn y capel i'r Methodistiaid, ond nid Methodistiaid yw pob un o'r rhai a'i mynycha. Yn y capel bychan hwn fe unwyd yr enwadau, ac ni chaniateir i wahaniaethau diwinyddol darfu ar eu perthynas a'u gilydd.

Fel hyn y bu pethau am flynyddoedd lawer, ond bellach daeth tro ar fyd. Ymhen yr wythnos bydd Thomas Humphreys yn troi ei gefn ar fferm 'Y Garreg' ac yn mynd i fyw wrtho'i hunan i dŷ sydd eisioes yn disgwyl amdano. Hwn fydd ei ben tymor olaf.

Yr oedd yr arwerthiant yn fferm 'Y Garreg' ddydd Iau diwethaf. Erbyn hyn y mae'r beudai a'r stablau, y cytiau a'r tŷ gwair yn wag, ac er y bydd y ddau gi yn aros ar ôl, rhyw oes o orweddian o gwmpas y buarth sy'n eu haros. – Efallai y byddant yn mwynhau ymddeol.

10 Tachwedd 1950.

BYGYTHIR EINIOES Y PENTREF CYMREIG

Dyddiau olaf Bwlchgwyn?

Amser a ddengys, ond daeth act gynta'r ddrama i ben yn Wrecsam ddiwedd yr wythnos pan gynhaliwyd ymchwiliad cyhoeddus a all benderfynu tynged y pentref Cymreig.

Crynhodd Mr Emyr Williams yr ymchwiliad pan

Mrs. Mary Jane Edwards (79) yn nrws ei thy.

BYGYTHIR EINIOES Y PENTRE CYMREIG

DYDDIAU Olaf Bwlchgwyn? Amser a ddengys. Ond daeth act gynta'r ddrama i ben yn Wrecsam ddiwedd yr wythnos pan gynhaliwyd ymchwiliad cyhoeddus a all benderfynu tynged y pentref Cymreig. Crynhodd Mr. Emyr Williams yr ymchwiliad pan ddwedodd mai brwydr bodau dynol yn erbyn peiriannau ydoedd.

Saif Bwlchgwyn ar ochr Cymru i Glawdd Offa. Golyga hynny Gymreictod, canys hyd y dydd heddiw mae r Clawdd yn marcio'r terfyn rhwng dwy genedl a dwy iaith, ac yn ei farcio'n anghyffredin o gywir.

Ond nid o ochr draw'r Clawdd y daw'r perygl heddiw—ond o'r ddaear isod. Yn y ddaear mae'r silica pin a ddefnyddir yn ffwrneisiau'r gweithfeydd dur. Fe ymestyn o dan sylfaen y pentref, ac y mae'r gost o'i godi o'r ddaear oddi amgylch yn amlwg ddigon.

Unwaith anfonai'r bobl o dueddau Wrecsam y cleifion i Fwlchgwyn i atgyfnerthu. Yr oedd yr awel fel y gwin; yr oedd yr olygfa'n baradwysaidd, a hyfrydwch Nant y Ffridd yn nefoedd dawel dan gysgodau'r pinwydd gwyrdd.

Bellach, anrheithiwyd y coed, ar y naill law; ac ar y llaw arall, ymledodd y chwarel silica ei chrafangau dros y fro gan adael o'i hôl ddiffeithwch anhyfryd a llwm.

Yn ddiweddar sylweddolodd y bobl am y tro cyntaf fod y pentref ei hun mewn perygl a chydnabuwyd y gallesid dinistrio hanner cant o dyddynnod ar gwr y pentref yn ystod y pymtheng mlynedd nesaf; y gallasai, efallai, dau

ymffrostio fod ei eneth fach, Maureen, un ar ddeg oed, ar ben ei dosbarth Cymraeg yn yr ysgol.

CYFLWYNAF CHWI...

Gadewch i mi eich cyflwyno i rai o bobl Bwlchgwyn.

Y mae Mrs. Mary Jane Edwards yn 79 oed. Yn Holly House, Glasgoed Road, y ganed hi, ac yno y bu ar hyd ei hoes. Ei heiddio hi yw'r tŷ, gwariodd lot o bres arno a chafodd y trydan iddo ddau fis yn ôl. Gwraig weddw, a'i mab wedi ei anafu'n drwm mewn rhen ddamwain.

Gwel tud. 16

RHYDDFRYDWYR YN GALW AM

Hunanlywodraeth

YN y Senedd, fore Mercher, cyflwynodd y Rhyddfrydwyr welliant i araith y Brenin, yn datgan eu gofid am nad oedd crybwylliad am Senedd i Gymru ac i'r Alban yn yr araith.

Cefnogir y gwelliant gan bob un o'r Rhyddfrydwyr ond Mr. Henkin Morris.

ddywedodd mai brwydr bodau dynol yn erbyn peiriannau ydoedd.

Saif Bwlchgwyn ar ochr Cymru i Glawdd Offa, golyga hynny Gymreictod, canys hyd y dydd heddiw mae'r Clawdd yn marcio'r terfyn rhwng dwy genedl a dwy iaith, ac yn ei farcio yn anghyffredin o gywir.

Ond nid o ochr draw'r Clawdd y daw'r perygl heddiw – ond o'r ddaear isod. Yn y ddaear mae silica prin a ddefnyddir yn ffwrneisiau gweithfeydd dur. Fe ymestyn o dan sylfaen y pentref, ac y mae'r gost o'i godi o'r ddaear oddi amgylch yn amlwg ddigon.

Unwaith anfonai'r bobl o dueddau Wrecsam y cleifion i Fwlchgwyn i atgyfnerthu.Yr oedd yr awel fel y gwin; yr oedd yr olygfa'n baradwsaidd, a hyfrydwch Nant y Ffridd yn nefoedd dawel dan gysgodau pinwydd gwyrdd.

Bellach anrheithiwyd y coed ar y naill law; ac ar y llaw arall ymledodd y chwarel silica ei chrafangau dros y fro gan adael o'i hol ddiffeithwch anhyfryd a llwm.

10 Mawrth 1950.

PERERINDOD / YNYS ENLLI

Ffordd y pererinion. Mae'r Groes a ddilynwyd gan filoedd hyd Ffordd y Pererinion i Aberdaron yn ddiweddar wedi cyrraedd Enlli. Aeth nifer fechan a hi dros y Sound ddiwedd yr wythnos i'r ynys dawel dros y lli.

11 Awst 1950.

THOMAS WILLIAMS, LLANDWROG UCHAF

Twm Trombon i Bobl Caernarfon.

Diwedd y 50au.

MORWYN Y LLYN

Aeth Aelwydydd yr Urdd am dro at Lyn y Fan ddydd Sadwrn i wrando ar Miss Jeremy o Caerfyrddin, yn adrodd stori morwyn y llyn wrth aelodau Aelwyd Heol Awst, Caerfyrddin.

15 Mehefin 1951.

HEN BETHAU NEWYDD

Yn Sain Ffagan mae breuddwyd Dr. Peate yn araf ddod yn ffaith, a'r tu allan i furiau'r castell mae hen falchterau'r diwilliant gwerin yn codi eu pennau. Mae'r sgubor a godwyd yn Stryt Lydan, sir Fflint, wedi ei hail-godi dan y coed yn yr Amgueddfa Werin, a'i tho gwellt a'i deri a'i dellt yn hyfrydwch pur i'r llygad.

1 Mehefin 1951.

Yn 1951, ymgorfforwyd *Y Rhedegydd*, papur newyddion cylch Blaenau Ffestiniog yn *Y Cymro*. Disgrifid y papur fel 'Newyddiadur Siroedd Meirion, Arfon a Dinbych', ac fel prif gyfrwng hysbysebu'r cylch. Ond, fel *Y Brython* a ymgorfforwyd yn ôl yn 1939, ychydig iawn o fudd arhosol a gafodd *Y Cymro* o'r papurau ychwanegol yma.

Cyhoeddwyd *Cymro* Saesneg am gyfnod, yn y gobaith o ddenu tua 15,000 o ddarllenwyr newydd yn Ne Cymru. Y syniad tu ôl i'r fenter oedd y byddai'r *Cymro* Saesneg yn codi eu diddordeb a'u hawydd i ddarllen *Y Cymro* Cymraeg, ond buan y sylweddolwyd nad oedd y fenter yn llwyddiant, ac ar ôl ychydig fisoedd costus, daethpwyd â'r cyfan i ben.

DAN JONES O YSTALYFERA

Wedi dychwelyd gartref ar ôl bod yn gweithio yn Rwsia oherwydd diweithdra yng Nghymru.

13 Gorffennaf 1951.

CHWARAE TEG NAWR

Mewn mil o flynyddoedd aeth Sion ap Siencyn o lan Teifi yn John Jenkins, Teify View. Ond y mae yna bethau sy'n aros, serch hynny. Erys y pysgod – ac erys y cyryglau a fu'n dawnsio ar y dŵr am ddwy fil o flynyddoedd. Y newyddbeth yw'r Bwrdd Afonydd.

Pedwar cwrwgl sydd yn Llechryd erbyn hyn. Dau gan John Jenkins, 68 oed, Teivy View, a dau gan ei gymydog Johnnie Thomas, sydd hefyd oddeutu'r 68 oed. Ond oni newidir y drefn ni bydd yr un cwrwgl yno nac yn unman arall cyn bo hir. Ni bydd dim ond yr afon a'r pysgod – a'r Bwrdd Afonydd.

TRAWS-FEDDIANNU

Ail brotest gan Blaid Cymru yn erbyn helaethu'r maes tanio yn Nhrawsfynydd

Dringo'r allt o Abergeirw am wyth y bore. Yr ail brotest heddychol yn erbyn defnyddio tir Cymru i hyfforddi milwyr.

5 Hydref 1951

LLUN TY DOL

Ffatri deganau Llanrwst.
21 Mawrth 1952.

COR AELWYD MACHYNLLETH

28 Mawrth 1952.

Pe digwyddech ymweld a Red Wharf Bay ym Môn fe welech faen llwyd wedi ei godi er cof am y morwyr a gollodd eu bywydau yn y submarine 'Thetis.' Yn chwarel Aberllefeni, ger Machynlleth, y cloddiwyd a maen hwn, ac fe ddywedir am lechfaen y chwarel nad oes ei gwell yn unman am ddal tywydd a thraul.

18 Ebrill 1952.

MERCHED WRTH Y GWAIR YN ABERLLEFENNI

J F ROWLANDS

Enillydd 2500 o wobrau cynnyrch gardd. .
16 Mai 1952.

W.E. Parry

Y plygwr gwrych.

GWNEUD CANHWYLLAU BRWYN

Min nos yn ffermdy Cwmhesgen, Abergeirw, lle byddid
yn gwneud canhwyllau brwyn.

11 Rhagfyr 1953.

FFATRI WLÂN PENMACHNO

John Rees Jones, y perchenog, a Rhiannon Thomas,
un o'r gweithwyr.

Ebrill 25 1952.

CÔR DILYS WYN CAERNARFON

Un o gorau mwyaf adnabyddus y cyfnod.

LLUN GWERTHU'R CYMRO

Y mae Llanelltyd ar fin afon Mawddach ym Meirionydd a nodweddiadol o'r pentrefi cymreig a hir ddioddefodd oherwydd diffig cyfleusterau.

O'r diwedd mae gwell arwyddion. Bu yma fwy o ddatblygiadau mewn llai na blwyddyn nag a weodd fy mam mewn hanner canrif meddai Miss Owen merch llythyrdy'r pentref. Carthffos, dŵr glan, deunaw o dai ar y ffordd ynghyd a chantin i'r ysgol, a neuadd bentref hefyd i ddod.

21 Tachwedd 1952.

DIM OND 'SGUBOR YW'R HEN EGLWYS A'R LLO O DAN Y PULPUD

Hanes yr Eglwys yng Nghymru heddiw yw uno plwyfi oherwydd prinder clerigwyr yn bennaf, a'r ffaith fod lleihad ym mhoblogaeth llawer plwyf gwledig a llai yn mynychu gwasanaethau'r Sul.

Gwna un offeiriad y tro yn lle dau neu dri. Cyffelyb yw hanes yr enwadau ymneilltuol, ac nid yw hanes cau capel yn beth anghyffredin.

Peth pur ddieithr i'r oes hon yw adeiladu eglwys neu gapel newydd yng Nghymru, ond yng Nghwm Hirgwm, uwchlaw Bontddu ym Meirionydd, saif eglwys nas agorwyd ers pan adeiladwyd hi dros gan mlynedd yn ol. Diriwiodd ei chyflwr yn y tywydd yng nghwrs y blynyddoedd. Yr oedd yr eglwys ar ei thraed cyn darganfod y cyfoeth ar lethrau'r cwm yn 1860 yng ngweithfeydd aur y Clogau a'r Figra.

Adeiladwyd yr eglwys ar fryn uwchlaw Tyglanrafon, ac mae'r adeilad bellach yn sgubor i'r fferm. Y mae'r pulpud derw hardd yn hwylus i gadw pladuriau a chribiniau, a lle bu'r allor yw lloches y llo.

13 Mawrth 1953.

GWISG WEN I EMLYN

Urddir Mr Emlyn Williams yr actor a'r dramodydd yn dderwydd yn Eisteddfod Genedlaethol y Rhyl eleni. Bydd yn derbyn yr anrhydedd a rydd iddo'r hawl i wisgo gwisg wen yr Orsedd am ei fod yn gymwynaswr llawer mudiad da yn ei sir enedigol a chymwynaswr arbennig i Eisteddfod Genedlaethol y Rhyl.

17 Gorffennaf 1953.

LLUN GWEITHWYR FFATRI BERSAWR

Y GRUG GWYN O'R CREIGIAU

Antur newydd yn Abermaw ym Mawrth 1950, oedd dechrau gwneud peraroglau o bob math i foddio chwaeth y merched.

Y mae prynu mawr ar drwyth y fioled Gymreig a sudd sawrus y grug gwyn o'r creigiau.

Cychwynnodd y cwmni gwreiddiol yn Llundain yn 1889. Collwyd rhan helaeth o'r adeiladau oherwydd y bomio a'r llosgi yn Llundain ym mlynyddoedd y rhyfel, ac mewn canlyniad i hynny y symudwyd y busnes i Abermaw.

25 Rhagfyr 1953.

WEDI'R STORM DAETH DIOLCH

Daeth storm sydyn o fellt a tharanau i Ddinas Mawddwy, Meirionnydd, ddydd Sadwrn, – ac yna fe holltodd cwmwl. Hyrddiodd y dyfroedd i lawr dyffryn cul Afon Fyrnwy a thrwy Rhiwargor yng ngheg llyn Llanwddyn. Achoswyd difrod mawr i adeiladau ac eiddo, ond yn ffodus ni niweidiwyd nac anifail na dyn.

"Y mellt gwaethaf a welais erioed" meddai Mrs John Hill, a gaewyd, ynghyd a'i gwr, yn eu ffermdy yn Rhiwargor gan for o ddwr lli.

Yr oedd car Mr Tom Bull, hefyd o Riwargor, bron o dan y dŵr yn un o adeiladau ei fferm yntau, ond achubwyd y gwartheg, yr ieir a'r moch a welwyd ar frig y dwr.

Yr oedd dau wr, Llew Williams, Lluest Ddu, ac Edward Griffiths, Tynyddol, mewn ysgubor pan welsant y dŵr o amgylch yr adeilad yn codi. Dringasant i ben swp o wair yno, a gwylio'r dŵr yn troelli o'u cwmpas.

Ond bwriodd y rhyferthwy ymlaen ac ysgubo Pont yr Henthryd ymaith. Oni bai bod Bulldozer yn digwydd bod yn y fan byddai nifer o ddynion a oedd yn ymochel yn ymyl cwt gerllaw wedi eu lladd wrth i'r dyfroedd dig lorio'r bont a'i malu yn deilchion.

Neidiodd un ohonynt, Mr William Jones, i ben y bulldozer a dringodd pawb ar ei ol. Gyrrasant y peiriant yn wysg ei gefn drwy'r lli tan y llwyddasant i'w yrru i fyny llethrau'r cwm ac allan o'r dwr.

"Buasem yn gelain gyrff onibai am y bulldozer" meddai William Jones wedi'r helynt.

3 Gorffennaf 1953.

MEINI HIRION CWM PARC, GER Y BALA

Cafodd y tyddyn 'Meini Hirion' yn ardal Cwm Parc, ger y Bala ei enw ar ôl meini a arferai fod ar eu pennau yng Nghae Pincyn gerllaw'r ty. Y mae'r meini bellach wedi mynd.

Y mae meini yn y Rhyl, hefyd – yng Ngerddi'r Coroni. Meini Eisteddfod Genedlaethol 1953 yw'r rheini ac y mae cyngor y dref eisioes wedi galw ar Gyngor yr Eisteddfod i'w tynnu i lawr.

Meini hirion, wedyn yn Llanrwst, cartref y brifwyl yn 1951, ni ddiflannodd y meini hyn, ond yr wythnos hon, lle bu urddas yr Orsedd y mae rhialtwch y ffair. Codwyd pebyll siawns o gwmpas ac yng nghanol y cylch cerrig. 'Meini Gwagedd' meddai rhywun.

9 Hydref 1953.

OCSIWN CEIR QUEENSFERRY

Tachwedd 1953.

YSGOL RHYDYGORLAN YNGHANOL Y MYNYDDOEDD

27 Tachwedd 1953.

RHAI O BLANT YSGOL Y BERMO YN WYNEBU'R NADOLIG EFO'U TEGANAU

25 Rhagfyr 1953.

I GYNORTHWYO RADIO CYMRU

Penodwyd Mr Wyn Roberts 23 oed o Lansadwrn, Mon, a gafodd ei addysgu yn Ysgol Ramadeg Biwmaris, yn Harrow a Phrifysgol Rhydychen lle cafodd radd anrhydedd mewn Hanes, yn gynorthwywr gyda'r newyddion yn Radio Cymru.

Bu Mr Roberts yn gynorthwywr golygyddol ar 'Liverpool Daily Post' am flwyddyn cyn ymuno a staff dros dro y B.B.C. y mis diwethaf.

Penodwyd Mr Dyfnallt Morgan, 36 oed, brodor o Ferthyr Tydfil, a addysgwyd yn Ysgol Eilradd Castell Cyfarthfa a Choleg y Brifysgol Aberystwyth, yn gynorthwywr Rhaglenni Radio Cymru, i weithredu yn Abertawe. Cafodd Mr Morgan radd B.A. yn Aberystwyth ac er 1951 bu'n cynorthwyo fel ymchwilydd yn Adran Addysg Golegol Coleg y Brifysgol Cymru, Aberystwyth.

Bydd y ddau yn cychwyn yn eu swyddi newydd ar Ebrill 1.

26 Mawrth 1954.

HUFENFA RHYDYMAIN DOLGELLAU

Codi tai i'w gweithwyr
15 Ionawr 1954.

Dianc o gartra hen bobol

Robert Hughes, hen bensiynydd sy'n byw yng nghartre'r hen bobl – 'Awel y Mor' yn y Bermo, ie, – a hen grefftwr hefyd. Bob cyfle a gaiff fe lithra i weithdy'r cerfiwr cerrig i ddilyn ei hobi o gerfio ar garreg a llechfaen.

12 Mawrth 1954.

MAI GWLYB

William Thomas, y crefftwr gwledig o Lanymawddwy, yn paratoi cribiniau ar gyfer y cynhaeaf.

7 Mai 1954.

ANIFEILIAID YN CODI ESGYRN YR HEN EGLWYS Lle bu pulpud y Bardd Cwsg

Bu gormes y mor ar lannau Meirionydd er dyddiau Seithenyn, ac yn Llandanwg mae wedi bwyta'r tir at yr hen eglwys lle gorwedd Sion Phylip y bardd, a thad Phylipiaid beirdd Ardudwy a flodeuai yn y 16 a 17 ganrif. Y mae carreg ei drws a'r fynwent bellach bron yn rhan o'r traeth.

Adeiladwyd yr hen eglwys yn y chweched ganrif ond bu gwynt ac amser fel yn hanes Melin Trefin yn malu a chwalu'r adeilad. Bu'n hir heb do, a diflannodd y dodrefn.

Yn ffodus, gwelodd caredigion y golled a rhoddwyd to newydd ar yr hen eglwys a'r fynedfa. Atgyweiriwyd ffiniau'r fynwent a diogelwyd hi i'r ymwelwyr lawer sy'n mynd yno bob haf i weld bedd Sion Phylip, a bedd llawer gwr adnabyddus arall yn Ardudwy 200 mlynedd a rhagor yn ol. Un o'r pethau cyntaf sydd yn tynnu sylw yw'r llawysgrifen hardd wedi'i gerfio ar y cerrig beddau, a phwy bynnag oedd y crefftwr yr oedd yntau mor gelfydd wrth ei waith a Sion Phylip y cywyddwr.

Pan mae llawer ardal yn dibynnu am grantiau i ddiogelu hen drysorau ac yn aml yn disgwyl i rhywyn arall wneud y gwaith, nid felly fu'r hanes yn Llandanwg, a gwnaeth y cyngor plwyf waith da i gadw'r adeilad lle bu Elis Wyn o Lasynys,

awdur 'Y Bardd Cwsg' yn offeiriad.

Manteisiodd '*Y Cymro*' ar ddiwrnod cyntaf y gwanwyn i dalu ymweliad a'r hen eglwys a'r fynwent. Dychryn fu gweld y difrod a wnaed ar yr hen lan yn ystod misoedd enbyd y gaeaf. Bu'r gwynt a'r trochion yn corddi tywod y fynwent trwy'r gaeaf diwethaf – ac fe gododd esgyrn dynion i'r wyneb o feddau'r fynwent. Torrodd anifeiliaid gwylltion ffeuau iddynt eu hunain yng nghysgod y cerrig beddi – ac i mewn i'r beddau eu hunain. Yma ac acw gwelir darnau o esgyrn neu ran o benglog yng nghwr y morhesg, a gallasai llwynogod lithro'n hwylus i'r tyllau a duriwyd yma ac acw.

26 Mawrth 1954.

LLAIS YR EOS YNG NGLYN CEIRIOG

Fe'i clywyd gyntaf yn canu o unarddeg y nos hyd bedwar y bore gan wr oedd yn methu a chysgu yn dda oherwydd poenau arthritis. Deuai pobl o bell ac agos i wrando arni, ac ambell noson byddai dau neu dri chant o bobl yn disgwyl clywed ei nodau per. Diolch i wr lleol, llwyddodd i wneud recordiad ohoni cyn iddi ddiflannu o'r cylch.

4 Mehefin 1954.

TAIR CLOCH EGLWYS MALLWYD

BU'N FUD AM DROS GANRIF

Yn nyddiau'r clerigwr adnabyddus Dr John Davies, yr oedd tair cloch yn canu i alw'r plwyfolion i'r eglwys ym Mallwyd, ac yn ôl y coflyfrau, gosodwyd dwy ohonynt yn 1639. Canodd y tair am bron i dair canrif cyn i un ohonynt gracio yn 1830, a bu raid ei thynnu i lawr oherwydd ei swn drwg.

Bellach mae wedi ei hatgyweirio, a chenir hi am y tro cyntaf i alw'r plwyfolion i gyfarfodydd Diolchgarwch am y cynhaeaf.

15 Hydref 1954.

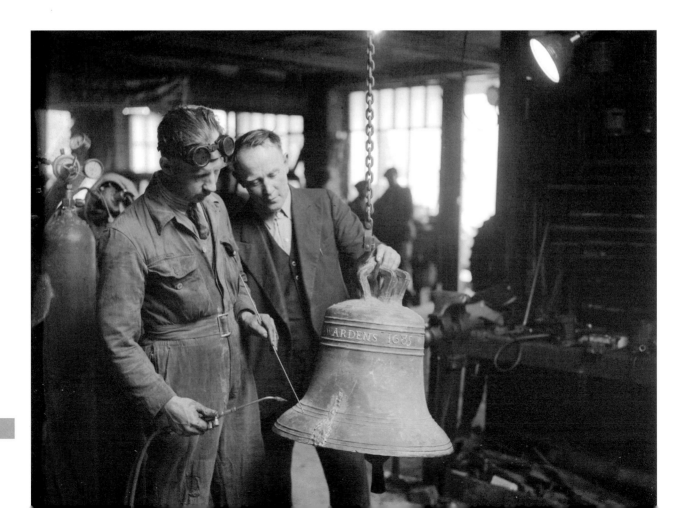

MELIN LLECHEIDDIOR

Roedd tair olwyn i felin Llecheiddior – ac mae dwy ohonynt yn dal i droi.

28 Ebrill 1955.

SOAR Y MYNYDD

Dyfed Evans, gohebydd Y Cymro, *yn mynd draw i weld Soar y Mynydd*

'Does dim ffordd dar o hyn ymlaen, ond mae'n eitha sych nawr. Gellwch fynd a'r cerhyd yn iawn ond ichi gymryd gofal.' Dyna'r cyfarwyddyd olaf a gawsom ar fuarth Maes Glas yn unigeddau'r mynydd wyth milltir o Dregaron.

Roeddem yn nesu at Soar y Mynydd, y capel mwyaf anghysbell yng Nghymru, lle mae'r deiliaid yn parhau i farchogaeth i'r oedfa.

Soar y Mynydd, y mae rhamant yn yr enw onid oes? Ac mor addas yr enwyd ef.

8 Medi 1955.

'MAE'N CANU EI DELYN EI HUN'

Treuliodd Mr John Anthony Jones, Rhydyfen, Arenig, ar lethrau'r Migneint y gaeaf diwethaf i 'naddu a naddu wrth ymyl y tan' i wneud a'i ddwylo ei hun y delyn fach y mae yn ei chanu. Gwaith oriau hamdden yng ngolau'r lamp yw'r delyn gelfydd, ac ym Mawrth diwethaf yr oedd yn canu yng nghinio Gwyl Ddewi yn y Bala. 'Os byw ac iach' meddai Mr Jones, 'yr wyf am geisio gwneud un neu ddwy eto' a'r rhagolygon yw y bydd yn treulio hirnosau'r gaeaf i naddu eto wrth y tan.

Lluniodd y delyn oddi wrth gynllun newydd syml a ddyfeisiwyd gan Claude Guinamant pan oedd yn ddarlithydd yng Ngholeg Harlech. Problem fwyaf y telynor – gosod y tannau y pellter priodol oddi wrth ei gilydd.

15 Medi 1955.

JOHN A JIM JAMES YN DISGWYL
A DDAW

Os daw cynllun trydan-dŵr Cwm Rheidol i rym fe foddir Nant y Moch oddi ar y map. Ni bydd dim yn aros o'r ffermdy lle magwyd tad a thadcu a hen dylwyth y brodyr James, dim o'r capel adeiladwyd yng nghanol y ganrif ddiwethaf ac a fu'n llewyrchus iawn yn y dyddiau gynt pan oedd bri ar y gweithfeydd mwyn yn y cylch, dim o'r darn tir y mynnodd tadcu'r brodyr godi mur o'i gwmpas er mwyn cael ei gladdu yno. Hen bethau anghofiedig fydd y rhain.

1932 – 1957: *Y CYMRO* yn dathlu Chwarter Canrif

Y Cymro

CAXTON PRESS, OSWESTRY

RHAGFYR 5, 1957

1932 – 1957

Dyma ran o'r hyn ddywedodd y Golygydd yn *Y Cymro*, 5 Rhagfyr 1957:

Yn nyddiau'r dirwasgiad mawr y sefydlwyd '*Y Cymro*.' Wedi'r dirwasgiad daeth rhyfel mawr. Wedi'r rhyfel daeth y datblygiadau mawr. Tlodi…. angau…. chwyldro cymdeithasol. Dyna'r tair gweledigaeth a welodd y papur newydd hwn yn ei chwarter canrif.

Pan oedd y tlodi yn fawr yr oedd costau yn isel. Caech dunnell o bapur i brintio arno am lai na degpunt, ac os oedd yr enillion yn tueddu i fod yn anweledig, yr oedd y colledion hefyd yn rhai bychan.

Pan oedd y rhyfel yn ysgwyd y byd yr oedd pethau arferol bywyd yn brin ac yn cael eu prisio'n fwy. Yr oedd papur newydd Cymraeg yn mynd yn gymeradwy yn yr Aifft ac yn yr India, yn Lloegr ac yng ngwlad Canaan, ac ym mha le bynnag yr oedd Cymry oddi cartref.

Ond pan ddaeth yr heddwch ni ddaeth a dim gydag ef ond cystadleuaeth. Nid y pictiwrs ar nos Sadwrn a digrifwyr Seisnig ar y radio – ond y pictiwrs a'r digrifwyr (Americanaidd bellach) yn cyrraedd y cartrefi mwyaf diarffordd.

Bu'n rhaid i hyd yn oed gylchgrawn mor lliwgar a godidog a 'Picture Post' weiddi digon yn Lloegr ei hun, ac i gyhoeddwyr a fu'n cyfri eu darllenwyr wrth y cannoedd o filoedd roi'r ffidil yn y to. Daeth y byd newydd a'i bethau newydd gydag ef.

Gan hynny, na fydded i ni gael ein twyllo. Medr iaith a barhaodd am fil o flynyddoedd farw mewn chwarter canrif. Fe ddigwyddodd hynny yn Iwerddon yn ystod chwarter olaf y ganrif ddiwethaf.

LLWYBR Y MYNYDD

Am un mlynedd ar ddeg a hanner bu Miss Mary Jones o Hermon, yn cario'r post i fyny'r cymoedd hyd at dŵr Maen. Yr oedd yn hen ffrind i Gwen Roberts.

Mae'n cael ei chario hyd at Abergeirw ym men y post. Yna, cerdded. Pum awr a chwarter yw'r amser swyddogol a ganiateir iddi i gerdded y siwrnai hon, sy'n bymtheg milltir os yw'n fodfedd. Ac am fod papurau dyddiol yn cael eu postio i'r ffermydd pellaf rhaid ei cherdded i gyd bob dydd.

Ac er bod Miss Jones yn 57 oed, dim ond un mis a gollodd trwy'r holl flynyddoedd – mis Medi y llynedd pan ymosododd y lymbago arni.

Gaeaf 1947 oedd y gwaethaf a welodd. Ni lwyddasai i gerdded y daith bryd hynny pe na buasai'r eira wedi rhewi.

'Yr oedd yn fy nol' meddai 'neu buaswn dros fy mhen a nghlustiau yn y lluwchfeydd.'

'Yr oedd mor ddrwg yn Nhwr Maen bryd hynny nes bod y beudy wedi ei gladdu dan yr eira.'

'Yr oedd yr eira mor drwm ac mor galed' meddai Miss Jones, 'fel yr eid i'r byd trwy dwnel a dorrwyd trwy'r eira at ei ddrws.'

Yr oedd yn adnabod Gwen Roberts, Twr Maen, er

hanner canrif union ac yn un o'i chyfeillion pennaf. A hyd nes i henaint ei rhwystro cofia am Gwen Roberts yn cerdded chwe milltir a hanner bob yn ail mlynedd i'r cyfarfod ysgol yn Hermon.

Ac ni fethodd Gwen Roberts a gwneud yr awr o daith i gapel Abergeirw bob Sul pan oedd hynny'n bosibl.

'A chofiwch ddweud mai hi fyddai'n hel at y genhadaeth bob amser yn y cylch' meddai Miss Jones.

24 Hydref 1957.

HEN WERINWR

Ar ffridd Maesmawr uwchlaw Dyffryn Mawddach yn Llanelltyd saif hen goeden onnen fawr sydd wedi cyrraedd oed aeddfedrwydd, ond er hynny sy'n parhau i flaguro ac i groesawu gwanwyn arall.

Edrychodd Evan Thomas yn hir arni yr wythnos hon wrth ddringo ochr y mynydd tua'i gartref, a chofiai adeg pan nad oedd yr hen goeden ond fel gwialen fain, ac yn rhy ifanc i'w thorri i wneud ffon.

Gadawodd iddi dyfu am dymor arall gan anghofio'r hen ddywediad mai'r adeg orau i dorri ffon yw pan welir hi.

Yn ystod ei oes faith gwnaeth Evan Thomas rai cannoedd o ffyn, ac wrth naddu a naddu yn ystod hir nosau y gaeaf wrth y tan coed ym Maesmawr daw atgofion iddo am bethau eraill heblaw'r defnydd ffon sydd wedi tyfu'n goeden.

Magwyd ef yn un o bedwar a'r ddeg o blant ar fferm fynyddig Amroddbwll ar y Migneint, ac y mae ei atgof cyntaf yn gysylltiedig a ffon onnen, ac yn atgof sy'n gliriach na phe bai wedi cael cweir gyda'r ffon pan oedd yn blentyn.

Cofiai ef ei hun ac un o'i chwiorydd un diwrnod o haf pan oedd tua pump oed yn chwarae ar adwy'r mynydd ac wrth ddringo a neidio fe dorwyd un o ffyn yr adwy. – Y gosb am y drosedd am mai fi oedd yr hynaf oedd eistedd yn y twll defaid yng nghlawdd y mynydd drwy'r dydd. Prin yr oedd lle iddo droi yno, am fod carreg fawr ar wyneb y twll.

11 Ebrill 1957.

Y FWYELL BRES

Daeth Mr Gwyn Davies, Bodiwan, Bala ar draws bwyell bres wrth aredig un o feysydd ei fferm yng Nghynllwyd, Llanuwchllyn, – sylwodd hefyd fod y pridd o'i chwmpas yn dywyllach na phridd naturiol y cae, ac awgryma'r llosgi iddo fod y fwyell yn perthyn i oes ganol y pres, sef tua 1,500 o flynyddoedd Cyn Crist. – Rhowd ei benthyg i Mr Ivor Owen, Ysgolfeistr Llanuwchllyn i roddi gwers i'r plant ar hanes lleol.

16 Mai 1957.

YR ANGHENFIL YN RHWYGO'R GWANWYN PER O'R TIR

Yr anghenfil a elwir Cuthbertson yn 'rhwygo'r gwanwyn per o'r tir' yn y Garneddwen uwchlaw Llanuwchllyn ac 800 troedfedd uwchlaw'r mor

14 Ebrill 1957.

Chwyth y Tân,
fe gynnith toc

Cyfarfod protest y diwaith, Chwefror 1958. Cerddwyd o Ddyffryn Nantlle yr holl ffordd i'r pafiliwn mawr yng Nghaernarfon. Cerddodd y gohebydd Dyfed Evans y saith milltir ar ran Y Cymro gyda'r bobl a'r plant.

WMFFRA A CHATRIN JONES YN CADW NOSWYL EFO'I GILYDD

Dafydd Norman yn cofio'r hen bar:

Gwelwyd diwedd pennod arbennig iawn yn hanes pentref bach Drws y Coed, yn y llecyn tawel hwnnw rhwng Nantlle a Rhyd-ddu, yr wythnos ddiwethaf. Gyda thristwch mawr y clywyd am farwolaeth Wmffra a Chatrin Jones, Tai Pella, yr unig ddau oedd ar ôl i gynrychioli'r hen draddodiad ardal.

Daeth y ddau i ben eu taith yr un diwrnod – Catrin yn gyntaf, ac Wmffra rhyw bedair awr yn ddiweddarach, a'r ddau newydd droi eu pedwar ugain.

'Rwyn cofio'r ddau yn sôn wrthyf am yr hen ardal pan nad oedd mor dawel ag y mae heddiw. Aeth peth wmbredd o dai yn wag yn Nrws y Coed, ac y mae olion un a'r ddeg ohonynt gerllaw'r capel heddiw yng nghysgod y creigiau mawr.

Chwith meddwl fod Wmffra a Chatrin Jones hwythau yn dawel erbyn hyn, ac wedi ffarwelio â Drws y Coed am byth.

26 Chwefror 1959.

TAFARN LAETH BANGOR
Ysbrydoliaeth Tafarn Laeth

Erbyn heddiw y mae 'Milkbar' a 'Juke Box' yn ddeubeth na ellir eu datgysylltu yn union fel mae 'Juke Box' (y peiriant sy'n chwarae recordiau) a 'rock 'n roll' yn anwahanadwy.

Dylifa'r ifanc i'r tai bwyta a'r tafarndai lleol nid yn gymaint i ddiwallu eu syched a'u newyn corfforol – ond i wrando ar rygnu cocosaidd yn byrlymu o fol yr hyrdigyrdi.

A'r pwrpas, meddent yw cael 'pep' yn y bywyd sydd ohoni heddiw.

18 Medi 1958.

CARTRE BARDD YR HAF
i fynd yn rhodd i'r coleg

Y mae Rhiw Afon, y tŷ lle ganwyd ac y magwyd R. Williams Parry yn Station Road, Talysarn, Dyffryn Nantlle, i'w drosglwyddo rhyw ddiwrnod i Lywodraethwyr Coleg y Gogledd, Bangor er cof am fardd yr Haf.

Dyna ddymuniad Mr Richard Williams 81 oed, brawd yng nghyfraith y bardd, sy'n byw yno ers chwe blynedd a deugain.

14 Medi 1961.

LLEW Evans YSTUMGWADNAETH

Pan ymgymerodd Llew Evans, Ystumgwadnaeth, a'r arswydus swydd o organydd yn Eglwys y Plwy, Llanfachreth, yn laslanc ugain oed yn 1911 feddyliodd o riocd y byddai'n dal ati ymhen hanner canrif yn 1961. Ond dal ati ddaru o. Mae 'na genedlaethau lawer wedi codi yn Llanfachreth na welson nhw 'rioed neb ond Llew Evans wrth yr organ.

Ond o'r diwedd, ar ôl hanner can mlynedd o dynnu diliau o organ y Plwy, y mae Llew Evans wedi penderfynu ymddeol. Rhyfedd o hyn ymlaen fydd mynd i'r Eglwys heb weld Llew wrth yr organ.

21 Medi 1961.

SWYDDFA'R CYMRO YNG NGHAERNARFON

Tua 1965.

WEDI SEINIO BUDDUGOLIAETH

Cyrhaeddodd teligram o Mecsico. Nid cynt y rhoddai Mrs. Gwynfor Evans y teliffon i lawr nag yr oedd yn canu eto. Dyna fel oedd hi ddydd Sul diwethaf yn Nhalar Wen, cartref Mr Gwynfor Evans yr aelod diwethaf i'w ethol i Dy'r Cyffredin a'r cyntaf o ymgeiswyr Plaid Cymru i gyrraedd y senedd.

21 Gorffennaf 1966.

Y CYMRO YN 50 OED

Roedd cyhoeddiadau papurau newydd Woodalls bellach yn ymledu dros ogledd a chanolbarth Cymru, ac yn y flwyddyn 1971, newidiwyd enw'r cwmni i Papurau Newydd Gogledd Cymru Cyf.

Yn y flwyddyn 1988, symudodd y cwmni eu pencadlys am y tro cyntaf erioed yn eu hanes i'r Wyddgrug.

Dalen flaen Y Cymro 30 Tachwedd 1982.

CYFNOD NEWYDD

Llion Griffiths fu'n olygydd am 22 mlynedd yn canolbwyntio fwyfwy ar ddatblygu ochr fusnes *Y Cymro*, a Glyn Evans fu'n ohebydd yn derbyn cyfrifoldeb llwyr am gynnwys golygyddol y papur.

4 Ionawr 1989.

CYFNOD NEWYDD

AR DDECHRAU blwyddyn fel hyn y mae'r *Cymro* yn edrych ymlaen at gyfnod newydd, cyffrous ac anturus yn ei hanes. I'r perwyl hwnnw bydd prif ddyletswyddau rhedeg y papur yn cael eu rhannu o hyn ymlaen rhwng Llion Griffiths, a fu'n Olygydd am y 22 mlynedd diwethaf, a Glyn Evans, a fu'n ohebydd gyda'r papur. Ers tro bu Llion yn canolbwyntio fwyfwy ar ddatblygu ochr fusnes *Y Cymro* er mwyn gosod iddo sylfaen ariannol gadarn.

O ddechrau 1989 bydd y cwmni sydd biau'r *Cymro* yn cadarnhau pwysigrwydd y gweithgarwch hwnnw ac er mwyn galluogi Llion i ganolbwyntio ei holl ymdrechion ar hynny, a chreu cysylltiadau rhwng y Cwmni a busnesau Cymreig, bydd Glyn yn derbyn cyfrifoldeb llwyr am gynnwys golygyddol y papur.

Yn cydweithio ag ef bydd John D. Williams, sy'n ohebydd ers dros flwyddyn ac Eirlys M. Hughes sydd newydd ei phenodi yn ohebydd dan hyfforddiant.

Llion Griffiths - Golygydd Busnes.

Glyn Evans - Cyd-olygydd.

Prawf

Bydd y trefniant hwn, a fu dan ystyriaeth ers rhai blynyddoedd bellach ac sydd eisoes wedi ei weithredu am gyfnod o brawf, yn galluogi'r papur i wynebu'r dyfodol gyda hyder a brwdfrydedd newydd.

"Y mae hwn yn gyfnod eithriadol anodd yn hanes unrhyw gyhoeddiad Cymraeg ac yn niffyg cael unrhyw nawdd na chronfa i'w gynnal, dyma'r unig ffordd ymlaen," meddai Llion.

Ychwanegodd Glyn yntau fod denu digon o hysbysebion yn allweddol i ddyfodol y papur.

"Y maent yn hollbwysig fel ffynhonnell incwm ond cyn bwysiced bob tamaid a hynny y maent hefyd yn wasanaeth i'n darllenwyr ac yn sicr nid denu hysbysebion er mwyn yr arian yn unig yw'r nod ond cynnig gwasanaeth sy'n cael ei werthfawrogi gan ddarllenwyr a'r hysbysebwyr eu hunain fel y mae nifer o lythyrau a gawn yn profi hynny.

"Y mae'r *Cymro*, gyda chylchrediad mwy ac ehangach nag unrhyw gyhoeddiad newyddiadurol Cymraeg arall, yn gyfrwng pwysig i bob cyhoeddusrwydd Cymraeg," meddai.

Y mae gan Llion a Glyn gynlluniau tuag at ddatblygu ymhellach apêl y papur er mwyn ehangu cylch ei ddarllenwyr.

"Wedi cyfnod digon anodd yn ein hanes yr ydym yn edrych ymlaen tuag at y dyfodol gyda hyder gan fod yn sicr yn ein calonnau fod lle canolog i'r *Cymro* yn y Gymru gyfoes. Gobeithiwn fedru manteisio i'r eithaf ar adnoddau newydd sydd at ein galw i gyflawni ein gwaith," meddai Glyn.

Brodor o Lawrybetws, ger Corwen, yw Llion, sy'n byw ar hyn o bryd yn y Bala a daw Glyn o Landegfan ym Môn. Mae'n gynddisgybl o Ysgol David Hughes, Biwmares a Phorthaethwy, ac ymunodd gyntaf â'r *Cymro* ym 1967. Bu am gyfnod gyda phapur au'r Herald ac yn gyfieithydd gyda Chyngor Arfon yn y saithdegau gan ddychwelyd unwaith eto at *Y Cymro* yn ohebydd yng Ngwynedd.

Llun ar y dde: Patsy Woodward yn cymryd drosodd gadeiryddiaeth y cwmni gan ei thad, Eric Thomas, 1987.

GWERTHU'N RHAD I GYMRY CYMRAEG

Dyn teledu'n fodlon colli £10,000 yn ei bris

Y mae un o bobl amlycaf Cymru yn barod i werthu tŷ sydd ganddo am ddeng mil o bunnau yn rhatach na phris y farchnad i Gymry Cymraeg.

Er nad oedd am ddatgelu ei enw yn wreiddiol y mae Eifion Lloyd Jones wedi cadarnhau ar ôl i'r Cymro gysylltu ag ef mai ef yw perchenog tŷ yn Henllan ger Dinbych, sydd i gael ei werthu am £10,000 yn rhatach na'r tŷ drws nesaf – cyn belled mai rhywun sy'n siarad Cymraeg fydd yn ei brynu.

Dywedodd iddo benderfynu gwneud hyn er mwyn 'ceisio cadw Cymreictod y pentref' ac y mae ei fwriad yn dilyn penderfyniad ffermwr o ardal Y Bala i werthu ei fferm i Gymru Cymraeg.

5 Ebrill 1989.

CHWARAEON YR URDD

Y Cymro *30 Mai 1990.*

MYNYDD LLANDEGAI

Bythynnod yr hen chwarelwyr gyda digon o ardd i gadw
buwch.

Dalen flaen Y Cymro *21 Chwefror 1990*

DRAMA ACTORION

Wedi i rywun neu rywrai wneud walis o'r heddlu yr wythnos diwethaf wrth eu hanfon i arestio Wali o dim Bryncoch United ar amheuaeth o fod yn un o Feibion Glyndwr y mae cwestiynau sylfaenol i'w hateb ynglyn a'r modd y mae yr ymchwiliadau hyn yn cael eu cynnal.

Dalen flaen Y Cymro *2 Chwefror, 1994*

DDDISGWYL BYTH

Swyddfa Gymreig yn gwneud i Syr Wyn edrych yn ffwl medd Cefn.

Er gwaethaf addewidion a wnaed y llynedd gall fod yn 'hydoedd' cyn y bydd gan Gymru hawl cyfreithiol i roi'r llythyren 'D' ar eu ceir.

Dalen flaen Y Cymro *11 Mawrth, 1998*

CYNULLIAD I GAERDYDD

Y mae'r oedi ynglŷn â chyhoeddi lle yn union y bydd cartref y Cynulliad Cenedlaethol yn awgrymu mai yng Nghaerdydd y bydd o.

Pe byddai Ron Davies wedi penderfynu ar Abertawe byddai cyhoeddiad wedi ei wneud yr wythnos diwethaf yn ôl y disgwyl.

Cymru dan ddwr!

Gweler tudalen 3

Malcolm Lamb fyny at ei bengliniau mewn dwr yn ystad Llys Nercwys yn Yr Wyddgrug

CYMRU DAN DDŴR!

Malcolm Lamb fyny at ei bengliniau mewn dŵr yn ystad Llys Nercwys yn yr Wyddgrug.

Dalen flaen Y Cymro *10 Mawrth 2001.*

CHWALU EU GOBEITHION

Fel roedd gobeithion yn dechrau codi bod argyfwng clwy'r traed a'r genau wedi cyrraedd uchafbwynt, cafodd achos arall ei gadarnhau ar Ynys Môn.

Cyhoeddwyd bod achos wedi ei ddarganfod mewn gwartheg ar fferm yng Ngaerwen nos Iau, ac roedd y Prif Swyddog Milfeddygol yn gyflym yn ail- adrodd rhybudd bod yr argyfwng yn bell o fod drosodd.

Mai 2004

Y CYMRO YN PARATOI I HERIO STORMYDD Y DYFODOL

Ar ôl yr holl flynyddoedd, dyma berthynas *Y Cymro* â'r hen gwmni wedi dod i'w ddiwedd. Y mis yma fe'i prynwyd gan gwmni Tindle Newspapers ac fe brynwyd Radio Ceredigion ganddynt hefyd.

Dyma ddywedodd un o olygyddion cynta'r *Cymro*, y diweddar John Roberts Williams: "Hyd yma ysgwn does yna ddim cerdyn cyfarch ar gyfer pobol sy'n newid ty. Felly does yna ddim cyfarchiad ar gyfer *Y Cymro* sy'n symud o feddiant yr hen gwmni fu'n ei gynnal hyd yn hyn ac sy' wedi mynd yn eiddo i'r *Cambrian News*, Aberystwyth, ond gyda swyddfa olygyddol bellach ym Mhorthmadog.

Ond y newydd da ydy mai mudo ac nid ffarwelio mae'r papur sydd eisioes wedi goroesi dyddiau'r addewid. Ac wedi iddo fod a'i ben swyddfa yn Wrecsam, yna Croesoswallt ac yna'r Wyddgrug, diau y bydd yn teimlo'n fwy cartrefol yn ei swyddfa newydd ym Mhorthmadog a Chymreigrwydd Eifionydd. A'r cyfan a fedraf fi ei wneud ydy dymuno i'n hunig bapur newydd cenedlaethol a'i staff, bob lwc a hir oes."

Bu Glyn Evans yn olygydd am gryn amser ac mae'n hyderus am ddyfodol y papur. Mae'n datgan fod yna elfen o chwithdod fod yr hen bapur yn torri cysylltiad â theulu Rowland Thomas a'i sefydlodd yn 1932 gan i'w ddisgynyddion ymdrechu yn driw i'w weledigaeth drwy sawl drycin a dyddiau main yn ariannol.

Heriodd Llongau Port hefyd ddrycinoedd enbyd ar hyd a lled y byd gan ddod ac enwogrwydd mawr i'r dref.

Bydded yr ysbryd hwnnw yn ysbrydoliaeth i'r *Cymro* hefyd wrth iddo hwylio tuag at lwyddiant o'i gartref newydd, yr un oedd dymuniad D. Llion Griffith i ddyfodol *Y Cymro* hefyd.

19 Mai 2004.

Swyddfa'r Cymro *ym Mhorthmadog.*

Mae'n dri chwarter canrif bellach ers sefydlu *Y Cymro*, ein papur newydd cenedlaethol Cymraeg. Roedd hi'n fenter anferth yn nyddiau anodd y tridegau, a'r cyfan yn ffrwyth gweledigaeth ddiysgog Rowland Thomas, y gŵr uniaith Saesneg o Sir Amwythig a gredai fod angen mwy na llyfrau i gadw'r iaith Gymraeg yn fyw. Gweithiodd yn ddiarbed, fel ei deulu ar ei ôl, i wireddu'r freuddwyd, a hynny yn wyneb pob math o drafferthion a siomedigaethau am flynyddoedd lawer. Mae ein dyled yn fawr iddynt fel teulu.

Mae ein dyled yn fawr hefyd i Gyngor Llyfrau

Cymru. Heb ei nawdd ariannol a'i gefnogaeth dros nifer o flynyddoedd, byddai cyhoeddi *Y Cymro* wedi bod yn llawer iawn anoddach.

Bellach, mae'r *Cymro* wedi cael bywyd newydd gan berchennog newydd, Syr Ray Tindle – gŵr tebyg i'r perchennog cyntaf yn yr ystyr ei fod, nid yn unig yn uniaith Saesneg ond hefyd am ei fod yn ŵr llawn ffydd a brwdfrydedd heintus ynglŷn â dyfodol ein papur cenedlaethol Cymraeg. Yr hyn sy'n bwysig i ni heddiw, ar ddydd pen-blwydd *Y Cymro*, ydi'r ffaith fod y papur yn dal i fod yn fyw ac yn iach a bod ganddo o hyd ychydig filoedd o gefnogwyr ffyddlon sy'n ei fwynhau ac yn edrych ymlaen yn eiddgar am eu copi bob wythnos.

Mae ei barhad, a pharhad yr iaith, yn dibynnu ar gefnogaeth. Y dyddiau yma, wrth ddathlu pen-blwydd *Y Cymro* yn 75 oed, mae'n amser i ni, hwyrach, fel cenedl ystyried a ydym am roi'n cefnogaeth lawn i'r *Cymro*, fel y bydd y flwyddyn 2032 yn flwyddyn dathlu ei ganmlwyddiant.

Golygyddion *Y Cymro* dros y blynyddoedd:

Y Cymro (Bangor)
    1848 – 1850 Hugh Williams (Cadfan)
Y Cymro (Llundain)
    1850 – 1851 John James (Ioan Meirion)
Y Cymro (Treffynnon)
    1851 – 1860 William Morris
Y Cymro (Lerpwl)
    1890 – 1907 Isaac Foulkes (Llyfrbryf)
Y Cymro (Dolgellau)
    1914 – 1931 Evan William Evans / Einion Evans
Y Cymro (Croesoswallt)
    1932 – 1939 John Tudor Jones (John Eilian)
    1939 – 1946 Einion Evans/J R Lloyd Hughes
    1946 – 1962 John Roberts Williams
    1962 – 1964 Glyn Griffiths
    1964 – 1966 Gwyn Jones
    1966 – 1988 Llion Griffiths
(Fe barhaodd Llion Griffiths gyda'r *Cymro* hyd 1995 fel Rheolwr Busnes)
    1988 – 1999 Glyn Evans
    1999 – 2004 Robert H Jones
Y Cymro (Porthmadog)
    2004 – 2005 Robert H Jones
    2005 – 2006 Ioan Hughes
    2006 –   William H Owen

Cenedl heb iaith, cenedl heb galon

Erbyn heddiw, ar ôl blynyddoedd o weithio i'r radio a'r teledu, mae William H Owen yn ei ôl eto efo'r Cymro. *Ond y tro hwn yn… OLYGYDD!*

Isod: Ioan Hughes, cyn-olygydd.

William H Owen yn nyddiau Dewyrth Tom, yn cyflwyno casgliad a wnaeth Clwb Plant y Cymro i gartref Bont Newydd yn nechrau'r 70au. Y Parch. Emrys Thomas oedd warden y cartref ar y pryd.

Robert H Jones, cyn-olygydd.

D Llion Griffiths, cyn-olygydd a rheolwr busnes.

Glyn Evans, cyn-olygydd, yn holi'r archdderwydd newydd, Dic Jones, ar faes y Brifwyl, 2007.

yc
Y Cymro

Dafydd Norman Jones, gohebydd, 1949–1963 (dechreuodd yn 15 oed), ac (isod) Dyfed Evans, gohebydd, 1949–1968.

Lis Owen-Jones, rheolwr gweithredol papurau cwmni'r Cambrian News a Syr Ray Tindle, perchennog a chadeirydd Papurau Newydd Tindle Cyf.

LLYFRYDDIAETH

The Advertizer Family, Robbie Thomas, Caxton Press
Y Bywgraffiadur Cymreig hyd 1940
Y Brython, 23 Chwefror 1939
Cymru Geoff Charles, Ioan Roberts, Y Lolfa
Yr Eiddoch yn Gywir, John Roberts Williams
Dros Fy Sbectol, John Roberts Williams
Printing and Printers in Wales, Ifano Jones, 1925
Yr Amserau, 1848 – 1849
Llenyddiaeth fy Ngwlad, T. M. Jones
Gemau'r Cymro, 1957

Seals and Sea lions

Barbara Todd

REED

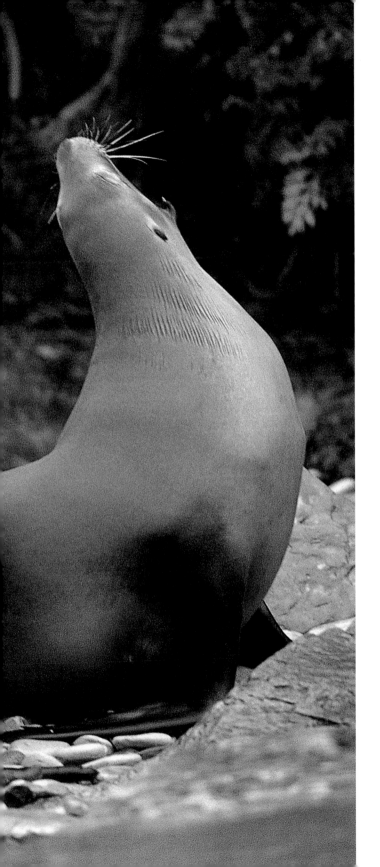

CONTENTS

INTRODUCTION

Seals and sea lions are found in every ocean of the world. Some live in the frigid climates of Antarctica or the Arctic, while others bask around warm tropical islands such as Hawaii or the Galapagos Islands.

Seals and sea lions are marine mammals who, like all mammals, breathe air, are warm-blooded, give birth to live young and nurse their young with milk. Like whales and dolphins they find their food in the sea, but unlike their fellow marine mammals, seals and sea lions return to land to both mate and give birth.

Early explorers called seals and sea lions by a variety of names including 'sea dogs', 'sea wolves' and 'sea bears'. Some explorers thought these sea creatures curious, intelligent and amusing, while others described them as noisy, belligerent and 'smelly beyond belief'

— a description that is easily understood if you have ever been near a seal colony when the wind is blowing your way!

It must have been an amazing time in the 1700s as voyagers travelled the world discovering new lands and new animal species. Southern elephant seals were among the first seal species to be identified in the 1750s. Over

4

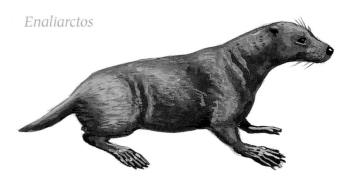

Enaliarctos

the next 100–130 years other seal species were described and named. Some, like the Antarctic fur seal, were not identified until the 1870s.

Long, long ago

Scientists believe the first ancestors of the pinnipeds (Latin for 'fin-footed') lived on land during the Oligocene, some 30 million years ago. Potamotherium, a small, four-legged creature, dates back to this period. Otter-like mustelids such as Potamotherium gradually adapted to a marine fish-eating lifestyle and are thought to be the ancestors of today's true seals.

Other fossil records of possible ancestors dating back 15–25 million years have been found. Enaliarctos lived during the early Miocene, about 18 million years ago. Enaliarctos is almost halfway between an otter and a sea

lion, and belonged to the family Enaliarctidae, whose members are believed to be the early ancestors of the modern fur seals, sea lions and the walrus.

Although these early ancestors ultimately became dependent on the sea for their food, they continued to return to land to breed and bear their young.

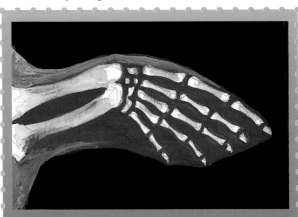

You can understand the pinniped's former relationship to land creatures by examining a skeleton of its fins. These show leg bones that are now encased up to their ankles inside a flipper-like outer structure. Seals still have five nails (claws) at the end of each flipper.

Potamotherium

Eared seals and 'true' seals

Seals, sea lions and the walrus are classed as pinnipeds ('fin-footed' creatures). Scientists currently recognise 34 living pinniped species. Eighteen species have ears that are hidden from view in thick hair. They are classed as 'true' seals. Fifteen pinniped species have visible external earflaps. They are classed as 'eared' seals.

One species, the walrus, is classed in a family of its own.

Eared seals

Eared seals are classed in the family Otariidae, which means 'little ears'. The fifteen Otariidae species include sea lions and fur seals. In the majority of these species, their small external earflaps are approximately 6 cm long.

One of the distinguishing features of the eared seals is how they use their flippers. When swimming, their front flippers are used to propel themselves forward and their rear flippers are used to help them steer … it's like front wheel drive on a car with the steering wheel in the rear!

When moving on land, Otariidae use all four flippers. They use their front flippers to raise their body and support their weight and they turn their rear flippers forward to act as flippered back feet. They may look ungainly on land but they 'walk', 'run' and even climb up steep rocks with surprising ease.

There are five sea lion species and ten fur seal species.

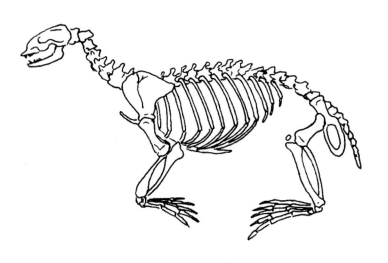

True seals

Scientists currently recognise eighteen living 'true' seal species. True seals are classed in the family Phocidae, which comes from the Greek word phoce, meaning 'seal'.

The most obvious difference between the eared seal and the true seal is a lack of visible earlobes. Although they might look it, true seals are not 'earless'. Their ears are small slits that are hidden in the thick fur on their head.

A true seal's rear flippers cannot be rotated forward, so they cannot 'walk' like eared seals. When travelling on land, true seals look a bit like large over-inflated caterpillars as they wriggle, hunch and straighten their body, some-times using their front flippernails to help pull themselves along.

Movement is easier on ice, where they can slither along the slippery surface. Awkwardness turns into grace once true seals slide into the sea. They glide effortlessly through the water using rear wheel drive — their hind flippers provide propulsion and their front flippers provide steering.

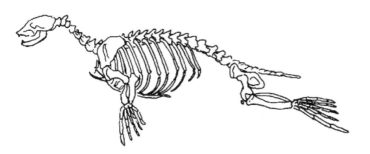

Form and function

Seals and sea lions have a torpedo-shaped body that enables them to move swiftly through the water — some species reach speeds of over 28 kilometres per hour! They are agile and graceful under water, at times resembling acrobats and at other times looking like dancers who are performing an intricate underwater ballet.

As bodysurfers seals and sea lions have no equal — but then it's pretty easy when you have a streamlined body, a built-in wetsuit and flippers naturally attached!

The body of a pinniped is covered with oily, waterproof hair. A thick layer of blubber (fatty tissue) is located under the skin. They are like a living thermos, with an outer protective layer of hair and an inner insulating layer of blubber that enables them to maintain a constant body temperature of $38.5°$ Celsius. Their blubber also helps

pinnipeds stay afloat and acts as cushioning when they move about on rocky ground.

When temperatures drop some seals huddle together for warmth and others retreat into the sea. Plunging into the icy Antarctic Ocean sounds pretty nuts, but during winter the water is warmer than the land. The sea maintains a fairly constant temperature of around $1.8°$ to $2°$ Celsius, while land temperature during an Antarctic winter may drop below $-30°$ Celsius. A bonus is the lack of wind under the sea — winter winds are cold!

When temperatures soar, pinnipeds are a bit like slugs. Their motions are often limited to moving between one shady spot and another, or finding wet sand to lie in. Elephant seals throw sand on their backs with their flippers, while others roll and cover their bodies with damp

Brent McFadden

sand. When all else fails, they can always head to sea for a cooling swim — not so different from the actions of humans at the beach on a hot day!

Fur seals have a thick, silky underfur, which is absent in sea lions and true seals. The underfur acts as additional insulation by trapping air bubbles next to the skin that help the fur seal stay warm and dry.

The colouring of seals and sea lions varies. Some seals are dark brown, others are a pale creamy colour and some are a combination of pale and dark. Some species have dark backs and a light belly that acts as a form of camouflage, making it harder for their prey to see them under the water.

LIFE CYCLES: ROMANCE AND PARENTHOOD

Some seal species like company and spend much of their time living and travelling together.

Once a year, the more gregarious species gather at their breeding grounds, which are known as rookeries. A rookery can be a very happening and very noisy place!

The males (bulls) jostle and fight for position on the beach while trying to claim the highest number of females for their personal harem. The bulls attempt to intimidate each other with threatening poses and lots of noise. When intimidation fails, physical fights often occur.

The dominant or alpha bulls are called 'beachmasters', and in large rookeries they may have harems (groups) of 30–50 females — that's a lot of women to look after!

The females tend to wander off if they're not properly guarded, so the bulls are kept busy chasing off other suitors while trying to keep their harem happy and in place.

In the midst of all this mayhem birthing occurs. Females give birth once a year to a single pup. Seal pups are born quickly, usually within one to four minutes. It's a precarious time for the new arrivals: breeding bulls are intent on mating with females and pups are often trampled during the process. Smaller rookeries are not as frantic as the large ones, but intimidation and fighting still occur and new pups are vulnerable.

Surviving pups grow quickly on a diet of rich, creamy milk. True seal pups are weaned sooner than eared seal pups. Some eared seal pups nurse for up to one year, but during that time they are often left on their own while their mums go to sea to feed themselves. New pups learn to swim at an early age and some pups are swimming within hours of being born.

Pups born on the ice have white fur, other pups are born with dark brown or tan fur. All pups lose their birth fur and obtain an adult coat. True seal pups moult within a month of being born, while eared seal pups take two or more months to completely lose their baby fur.

Most seal species in Antarctica and the Arctic lead a more solitary lifestyle and their social contact with each other occurs primarily during the breeding season. Mating often occurs in the water and pups are often born on drifting pack ice. Most pups are weaned quickly. Harp seal pups are independent in nine to twelve days, and Weddell pups are on their own from around two months old.

Once pups are weaned, their mums leave to continue their solitary existence until the next mating season.

Whether social or solitary, seals are vocal creatures. They grunt, snort, bellow and belch. Pups often whine or bleat while waiting for their mums to return from their feeding forays. Mums find their pups by recognising both their smell and their voice. Males often hiss or roar to intimidate their rivals, and some males 'sing' to attract their mates. Harbour seals click under water and Weddell seals make loud, high-pitched noises. No one has ever recorded a seal or a sea lion whispering!

WHAT'S ON THE MENU — AND HOW DO I CATCH IT?

Seals and sea lions have a varied diet. Their menu includes squid, octopus, small shrimp, shellfish, krill and a variety of fish species. Some sea lions and leopard seals eat other pinniped species, especially pups, as well as penguins, and other seabirds.

Pinniped species that primarily eat fish or squid have large front teeth that enable them to grasp and hold their slippery, wriggling prey. The crabeater seal, which primarily eats krill, has small teeth that are very close together. The teeth act as a filter, sieving out the sea water and trapping krill behind them.

Seals and sea lions use their eyes, ears and whiskers to help them locate their prey. Their eyes point forward, which is useful for spotting and chasing fast-moving prey.

Seals and sea lions are able to see clearly both above and under water. They have a specially adapted cornea that acts like a built-in facemask when they dive under water.

Like cats and other nocturnal predators, a pinniped's eyes are designed for low-light hunting. The pupils are tiny slits on land and fully dilate to become circular under water.

Some seals and seal lions make sounds that bounce back off underwater objects. They may

Some seals have rocks in their bellies! Yes, it's true, they eat stones! Up to 11 kg of stones have been found in the stomachs of some sea lion species. The question is, 'Why?'

One theory is that the stones help grind up food that is swallowed whole; another is that the stones may crush worms in the seal's stomach. Yet another theory is that the stones help seals regurgitate fish bones. Perhaps the stones are used for ballast, or are eaten to fight off hunger pangs? Want to have a guess? No one knows for sure what the answer is.

Elephant seals have the largest eyeballs of all the pinnipeds — up to 7.5 cm — that's about the size of a tennis ball.

be using sonar or echolocation, in a way similar to whales and dolphins, to find food and avoid underwater hazards. Seals also uses a form of 'pinniped radar' — their whiskers — to find food. The whiskers act like antennae, sensing underwater vibrations caused by moving creatures such as fish and tiny crustaceans such as krill.

Seals have between 15 and 50 whiskers on each side of their nose. The longest whiskers are found on Antarctic fur seals and can measure up to 48 cm in length.

A seal's nostrils close tightly when it dives under water. In general, eared seals dive for shorter periods of time than true seals. Some true seals, like the Weddell seal, regularly dive to depths of 200–400 m and occasionally down to at least 800 m. During deep dives, pinnipeds may stay under water for over one hour. How do they do it?

All seals carry over three times as much oxygen in their body as humans. They have twice as much blood, which contains large amounts of haemoglobin, an oxygen-carrying substance. In addition, the muscles of deep-diving seals are almost black because they contain myoglobin, which also stores large quantities of oxygen. So, seals store oxygen in both their muscles and blood and they utilise it throughout their dive.

Pinnipeds have another little trick they use to conserve oxygen. During a long dive, their heart rate drops from its normal rate of up to 120 beats per minute to a rate as low as 4–6 beats per minute. A slower heart rate means less oxygen is needed. In addition, blood is diverted away from other organs and is primarily pumped to the brain. After a long dive pinnipeds spend up to an hour breathing at the surface in order to re-oxygenate their bodies.

Seals have a special adaptation at the back of their mouth that closes off their throat and lungs so they do not swallow sea water with their food. Occasionally seals will drink fresh water, but they usually receive all the moisture they need from their prey — food and drink in one package!

Seals and sea lions normally grasp their prey and then swallow it whole. If their prey is too large to swallow, they will throw it around so it breaks up into smaller pieces.

14

THE WALRUS

Walrus have been described as looking like an enormous leather bag with a moustache and tusks.

Walrus are in a class by themselves. They are the only pinniped species that has tusks. Both males and females possess tusks, which are actually enlarged upper teeth that grow continuously throughout the walrus' life.

Walrus have their own family classification, Odobenidae, which is derived from the Greek words for 'tooth' and the word for 'I walk'. Their 'walk' actually resembles more of a shuffle.

Walrus are found exclusively in the Arctic. There is an Atlantic walrus and a Pacific walrus, which is slightly larger. The name walrus comes from the Scandinavian word 'hvalross', which means 'whale horse'.

Walrus are not exactly beautiful or graceful. All walrus are covered with a thick, tough hide. They have an insulating layer of blubber that is up to 6–7 cm thick. Their tusks reach lengths of 1 m and are used to help haul their massive bodies onto ice floes, and for intimidation when fighting other males. Males are huge, weighing anything up to 1900 kg.

Walrus have some unique feeding strategies. They sometimes stand on their heads under water, stir up sand or mud with their tusks and then suck up small shellfish from the sea floor — under water vacuum cleaners!

Walrus also change colours. They are able to regulate the amount of blood that reaches the surface of their skin. Their basic colour is reddish brown, but when they divert the blood from their skin surface they turn white. When they bring blood to the surface of their skin they turn bright pink — a bit of pinniped magic.

SEA LIONS

There are five sea lion species belonging to the Otariidae family of eared seals. Early explorers noted the presence of 'shaggy maned seals who look like lions in the sea', hence their name 'sea lion'. Only the large, mature males possess a 'lion's mane'.

Sea lions are also known as 'hair seals' because their skins are covered with stiff, water-proof hair and they do not have the soft, dense underfur that fur seals possess.

Two sea lion species are found in the northern hemisphere. The northern or Steller's sea lion is the largest sea lion, with maximum lengths of 3.5 m for males and 2.9 m for females. They range from the North Pacific Ocean to the Southern Bering Sea.

The California and Galapagos sea lions are currently grouped together as one species. The California sea lion is a real show-off, both in the wild and in captivity, and is often a featured performer in zoos and oceanariums. The Galapagos sea lion lives across the equator at the Galapagos Islands. Males reach 2.4 m, females 2 m.

In the southern hemisphere, the South American sea lion resides, as its name suggests, around South America's coast. Males reach 2.8 m and females 2.2 m. Their most distinguishing feature is a massive head and neck and an impressive lion's mane. They are also known as the southern sea lion.

Australian sea lions are mainly found in western and southern Australia. The males reach 2.5 m and the females 1.8 m. Australian sea lions were an important food source for the Aboriginal people in Australia. The sea lions were also hunted by Europeans for their oil, as well as for food. Adult males are dark brown and weigh up to 300 kg, while the smaller cream-coloured females weigh only 100 kg.

New Zealand sea lions are endemic to New Zealand. The males are large, reaching 3.2 m and 450 kg, while the females average 2 m and 160 kg. Their colouring is similar to the Australian species: males are dark brown and females are a pale creamy colour.

16

The New Zealand sea lion (Hooker's sea lion)

The New Zealand sea lion is also known as the Hooker's sea lion, after Sir Joseph Hooker, a British botanist who first described the sea lion in the 1860s.

The endemic New Zealand sea lion once ranged around the North and South islands and further south at New Zealand's subantarctic islands. By the 1500s North Island populations were reduced by Maori, and by the late 1890s European sealers had almost eliminated the remaining populations in both the South and subantarctic islands.

In a report on the South Island population of Hooker sea lions in 1892, Hooker proclaimed: '... the mode of life of the New Zealand hair seal has been much altered since my first observations in 1863 and I believe they have become more solitary and will soon be extinct.'

In 1894 a government decree finally provided some protection for the species. Currently the New Zealand sea lion is listed as a threatened species and remains one of the rarest eared seals in the world, with a population estimate of between 12,000 and 15,000 animals.

New Zealand sea lions breed exclusively in New Zealand waters. Approximately 95 percent

'Get lost, buster!' These females are obviously not very interested in the amorous approaches being made by this large male suitor.

17

of the population mate and give birth at the Auckland Islands on Dundas, Enderby and Figure of Eight islands. Breeding also occurs at New Zealand's southernmost subantarctic location, Campbell Island. New Zealand sea lions are also found in small numbers at Snares and Stewart islands, and on the Otago Peninsula.

Male New Zealand sea lions use a somewhat 'modern' approach for their mating strategy. They stake out a territory on a beach and defend it from other males. The females are not herded into harems; instead they are free to roam the beach and move from one territory to another … and one male to another! This behaviour could be described as the New Zealand sea lion's form of women's liberation.

Mating and pupping occur between December and early February. The cows mate again about seven to ten days after giving birth. Once the breeding season is over the males disperse, while the females remain to care for their pups.

Pups are often moved deep into the rata forests when they are a few weeks old. They are left on their own for three to five days while their mums go to sea to forage. When the mums return they identify their pup by its voice and its smell. Sometimes a pup on its own will invite itself 'over to dinner' … the temporarily motherless pup attempts to sneak a meal from another nursing mum … it occasionally works! Pups nurse for eight to twelve months before they are weaned.

New Zealand sea lions enjoy a fresh seafood diet that varies depending on the time of year and the area they are feeding in. Their prey includes squid, octopus, krill and a variety of different fish species such as opalfish, rattail and hoki. Research on females indicates that most dive 100–200 m when foraging for prey and they remain under water for four to seven minutes.

Cool and interesting New Zealand sea lion facts

- 'Crittercams' (underwater videos) attached to female New Zealand sea lions have recorded them chasing prey into caves and holes on the sea floor over 200 m deep.
- One record-breaking female dived to a depth of 550 m and remained under water for eleven and a half minutes. Another record breaking female remained under water for thirteen minutes.
- Deep-diving females employ a 'power swim and free fall' technique, starting their dive with powerful flipper stroking followed by a long glide that conserves energy and oxygen.
- The remains of fur seals and New Zealand sea lion pups, penguins and other seabirds have been found in the stomachs of male New Zealand sea lions.

- Males weigh up to 450 kg and grow to a length of 3.3 m — that's the same weight as about five grown men and the length of a small car. They live for around 25 years.
- The 'petite' females average 2 m in length and weigh up to 160 kg. They have an average lifespan of 18 years.
- Males have big teeth — up to 7.3 cm long!

Not so cool New Zealand sea lion facts

- From 1987 to 1997 an average of 78 animals were killed every year in the trawling nets of squid boats. Some years up to 140 deaths were reported. How many go unreported?
- In 1998 approximately 60 percent of pups at the Auckland Islands mysteriously died. Over a 20-day period a known 1606 pups and 74 adults were found dead. The exact cause of the deaths is still unknown.

FUR SEALS

All fur seals have dense, soft hair under their outer covering of stiff, waterproof hairs. This inner layer of 'fur' helps them stay warm and dry and led to their name of 'fur seal'.

There are ten* fur seal species in the Otariidae family. Two species, the northern and the guadalupe fur seal, live in the northern hemisphere. The Northern fur seal lives in the North Pacific Ocean, the Bering Sea and the Sea of Okhotsk, near Russia. The Guadalupe fur seal primarily lives off Baja on California's Pacific coast. By the early 1900s the Guadalupe fur seal was thought to be extinct. A single male was discovered in 1949 and soon after a tiny colony was found on Guadalupe Island.

Eight fur seal species live in the southern hemisphere. These include the South African, South American, Australian, Antarctic, Subantarctic, Juan Fernandez, Galapagos, and New Zealand fur seals. Their names basically describe the area where they live and breed. The Galapagos fur seal is the smallest species, averaging 1.3 m to 1.6 m in length. The Australian (also known as the Cape fur seal) and South African fur seals are almost identical but are separated by vast distances. Australian and South African are the largest fur seals, with females reaching 1.7 m and males 2.7 m in length.

Each species has distinguishing characteristics and behaviour, but all fur seals share one thing in common. Each has been hunted extensively for its soft 'fur' and almost every species of fur seal came close to extinction levels during the sealing years from the late 1700s until the early 1900s. It's a pretty sobering thought that millions of fur seals worldwide could have vanished forever in such a short period of history.

* *The Australian and South African fur seal share the same species name but are recognised by scientists as two separate subspecies. Some references lump them together and recognise nine fur seal species. Other references, and this book, list them separately and recognise ten species.*

New Zealand fur seal

Before humans arrived in New Zealand, New Zealand fur seals were everywhere. They lived around the coasts of the North and South islands and at every New Zealand subantarctic island. Research indicates their population may have been 1.5-2 million animals.

Maori hunted the fur seal for food and skins and the North Island population was eventually depleted. When European sealers arrived in the late 1700s, the remaining fur seals lived around the southwest coasts of the South Island and in the subantarctic. By 1830, the New Zealand fur seal was almost extinct. Even though its numbers were drastically low, the New Zealand fur seal was not protected until 1894.

For much of the year New Zealand fur seals forage for prey and then return to favourite

sites and hauling grounds to laze in the sun. Fur seal behaviour changes in early November, when males and females assemble at their breeding rookeries. Females arrive ashore and choose shady, sheltered areas where they will give birth. Males arrive and attempt to establish dominance in 'favoured territories', that is, areas with the most females in them. Males first try a 'psych-out' technique to establish dominance over each other — intimidating stares, posturing and noise: snorting, growling and trumpeted roaring!

When these techniques fail, physical fights occur. The males manoeuvre for position, inflate their chests and charge. Some fights are short, while others only end when blood flows and the losing bull is pinned to the ground.

Males have a delicate balance to achieve. Dominant bulls divide their time between intimidating and fighting and maintaining enough energy to mate with females. Some bulls are 'king' for over two months, defending their territory from all challengers and mating whenever possible. During that period they do not eat or drink; sometimes it's tough to be 'king'!

Females start to breed at around five years of age and normally produce one pup a year. New mums nurse for eight to ten days and during that period mum and pup learn each other's voice. Females mate again about one week after giving birth and depart soon after to forage at sea for three to four days. For the next eight to eleven months mums divide their time between caring for pups on land and feeding out at sea. Older pups are left alone for longer

Males are sexually mature at age five, but often do not breed until they are older and able to defend a territory.

periods of time and are self-sufficient when their mums give birth again the following year.

New Zealand fur seals are opportunistic feeders and consume a large variety of prey depending on area and time of year. Favourite fish species include lanternfish, anchovy, barracouta, hoki and mackerel. Octopus and squid are also favourite delicacies and once in a while the occasional penguin or other seabird is added to their diet for a bit of variety.

Dive depths range from 30 to 80 m and dive times vary from one to three minutes. Night feeding and shallow dives are more common in summer; dives become deeper and longer during winter.

The New Zealand fur seal has come back from the verge of near extinction during the 1800s and appears to be slowly reoccupying parts of its former range. The current population of New Zealand fur seals is estimated to be around 100,000.

Cool and interesting New Zealand fur seal facts

- The New Zealand fur seal is New Zealand's most common native marine mammal.
- The first confirmed North Island rookery last century was observed at Cape Palliser in 1991.
- New Zealand fur seals are currently considered to be the deepest-diving fur seal: the record holding female reached 274 m. The breath-holding record is held by another female who remained under water for 11.17 minutes.
- New Zealand fur seals can swim 200 km in a single day.
- Male fur seals average 130–160 kg, about the same weight as two small human males. Females average 40–50 kg, about the same as a small human female. Pups are slightly heavier than human babies with males averaging 4.5 kg and females 3.5 kg.
- A female fur seal mates between December and January, but the fertilised cell lies dormant for three months before being implanted. The seal's true pregnancy does not begin until March or April.
- Females give birth at almost the same time and in almost the same spot year after year.

Not so cool New Zealand fur seal facts

- New Zealand fur seals were first described in 1773 by botanist George Forster. Forster made a sketch and described the 'sea bear' during Captain James Cook's second voyage to New Zealand. It was 1828 before a scientific description was published and the New Zealand fur seal became a recognised species. By that time, they were on the verge of extinction!
- In 1808 a single sealing ship 'harvested' 38,000 fur seals at the Bounty Islands. More ships followed. By 1831 sealers could find only five fur seals at the height of the breeding season.
- In 1994, the Bounty Island population was estimated at between 20,000 and 27,000 animals — 10,000 less than the amount killed in one sealing trip in 1808!

Scientists currently recognise 18 living species of true seal. Four species, the leopard, Ross, crabeater and Weddell seals, are found in the frigid waters of Antarctica.

Leopard seals have long slender bodies that are covered with dark blotches, giving them their name, 'leopard'. They primarily live around pack ice in Antarctica, but they also appear regularly around subantarctic islands and occasionally venture further north to mainland shores in Australia and New Zealand.

Males reach lengths of 3.4 m while females may reach 3.6 m. They have a huge head and a mouth that contains some seriously large teeth, making them the top predator in the pinniped world. Leopard seals prey on other seal species, penguins and other seabirds, a variety of fish, squid and even krill. They have been known to track and chase humans across pack ice, although there is no record to date of human capture! Little is known about their social life, but they appear to be mostly solitary. Females give birth on pack ice between November and December and nurse for about four weeks. They also mate during this period.

Ross seals were first described after they were seen in the Ross Sea in 1840 by Captain James Ross on the HMS *Erebus*. They are small, at around 2.4 m, and they have large eyes. Little is known about this species. They appear to pup and mate during the summer months of December and January. Ross seals

Leopard seal.

24

are known as the 'singing seals' because they emit underwater siren-like sounds along with chirps, clucks and coos. When disturbed on the ice they lift their heads and produce long trilling vocalisations.

Crabeater seals live on drifting pack ice. Their main prey is not crab as their name suggests, but krill. Their small, tightly packed teeth act as a sieve, straining out sea water while trapping the small crustaceans behind them.

Crabeaters are the most numerous seal species, with a population estimate of 10–15 million animals. It has even been suggested there may be over 30 million seals, but it's pretty hard to travel to their homes for a good count. Crabeaters appear to have a unique social arrangement. Each mum and pup pair has a single male who mates with the mum and remains with the pair until the pup is weaned.

The Weddell seal is named after Captain James Weddell, who first described the species in the 1820s during a sealing voyage to Antarctica. The Weddell is a truly Antarctic seal and ranges further south than any other seal species.

Weddell seals reach lengths of 3.3 m and are fairly chubby at 550 kg — you need lots of blubber when you live in such a cold place!

They are fairly solitary except during the pupping and breeding season in late September to early October. Weddells are one of the few seal species that occasionally give birth to twins. New pups are swimming with their mums by two weeks of age and are weaned at seven to eight weeks old. Almost all mating occurs under the ice (makes for a pretty cold waterbed!).

Weddell are deep divers and have been recorded at depths of 600–700 m. Most dives are shallow, between 50 and 160 m. They dive repeatedly, sometimes making as many as 40–50 dives over a period of several hours.

Weddells eat fish, krill and the occasional penguin. During the mating season they make pulsing sounds that are so intense they can be felt through the ice.

Weddell seal.

ELEPHANT SEALS

One of the most unique true seals is the elephant seal. There are two separate species, the northern and the southern elephant seal. The northern species range along the Pacific coastlines of the United States with a few vagrants making their way to Hawaii and Japan. The southern species range throughout the subantarctic islands, along the coast of South America and around the Antarctic Peninsula. Occasional intrepid travellers visit the Australian and New Zealand mainlands.

Southern elephant seals are larger than their northern counterparts, with some males tipping the scales at up to 5000 kg — definitely truck size!

However, it's not their size that gave the elephant seals their name, but their nose, or more correctly, the male's nose. As pups all elephant seals display huge adorable eyes set into a cute round face with a slightly pointed nose. Females retain this look, but the male's appearance changes dramatically. A male reaches sexual maturity at around five years of age and by that time its nose resembles a stunted version of an elephant's trunk. Its nose is lumpy and long, reaching a length of up to 25 cm. Males are huge, reaching lengths up to 5 m and weights of 5000 kg. The females are petite by comparison, reaching lengths of 3 m and weighing in at a lightweight 900 kg.

Life is hectic and noisy at an elephant seal rookery. When pregnant females arrive at the rookery, they gather together into harems. A dominant (or alpha) bull may have a harem

A male elephant seal's nose is somewhat like a hood ornament on a car: the bigger it is, the higher he ranks in the male pecking order. Males fill their nose with air and then emit a series of loud booming sounds that resemble the noise of a backfiring muffler.

of 25–50 females to look after and defend from other male challengers. Snorts, belches, roars and screams fill the air as breeding bulls establish dominance over their rivals. Noses and noise play a prominent role, but fighting is often necessary to prove who is boss. Most bulls do not reach alpha stage until they are eight to eleven years old.

Pups are born within a week of the female's arrival and weigh 40–50 kg. Mums sniff their pups and make warbling sounds that are answered by the pup's own warble. These sounds enable the mum and pup to recognise each other if they become separated.

The pups nurse daily for about one month and weigh up to 225 kg by the time they are weaned. Females mate three to four weeks after giving birth and return to sea soon after.

It's a scary time for new pups as the gigantic alpha males roam from female to female with little thought about what gets crushed underfoot (or in this case, under-flipper). Surviving pups remain at the rookery for another three months, learning to swim and fend for themselves.

Elephant seals are deep divers and feed on a variety of different prey species. They commonly dive to depths of 180–600 m and remain under water for 20–30 minutes in search of deepwater fish species and squid. Elephant seals may cover thousands of kilometres searching for food. Like so many seal species, they were nearly driven to extinction by the late 1800s, but both the northern and southern elephant seal have now made significant recoveries.

Cool and interesting elephant seal facts

- Male elephant seals are the largest of the pinniped family. There is an unverified report of a male who was said to be over 6.5 m long.
- Elephant seals were first described as 'sea elephants'.
- Males do not eat during the 90-day breeding season. They may lose up to one third of their 4000–5000 kg bodyweight and mate up to 200 times.
- Elephant seal pups swell while their mums shrink! Nursing females may lose up to half of their 900 kg, while their pups balloon from a birth weight of 35 kg up to 225 kg.
- Elephant seals are almost hairless. They moult once a year, with their skin falling off in big patches and long strips — not a pretty picture!
- The record for the deepest dive is held by a northern male who reached 1567 m.
- The record for the longest dive is held by a northern female who remained under water for two hours.
- Southern elephant seals have holidayed in New Zealand. A male elephant seal nicknamed 'Humphrey' made himself at home on the Coromandel Peninsula and in the Bay of Plenty every summer for five years. Another male, 'Homer', discovered Christchurch and later celebrated New Year 2002 in Gisborne. The local people and tourists enjoyed these visits, but a few cars suffered severe damage from mistaken amorous advances.

Not so cool elephant seal facts

- Sealers obtained over 150–200 gallons (683–910 litres) of oil from the blubber of each male elephant seal they killed.
- The northern elephant seal was thought to be extinct by 1880. When eight seals appeared at Guadalupe Islands, off Baja, California, a scientific expedition was sent to collect them for museum specimens. They shot seven of the eight seals and again declared the species 'effectively extinct' — how smart is that?

Northern hemisphere true seals

In addition to the northern elephant seal, 12 other true seal species are found in the northern hemisphere. They range from the frozen Arctic to tropical waters of Hawaii and the Mediterranean.

Arctic and other far north species include the bearded, largha, ringed, ribbon, hooded and harp seals. Ringed seals are the smallest and most common Arctic seal; hooded seals; at 3 m long, are one of the largest and are named for their 'inflatable' nose, which is used to both attract females and intimidate other males. Bearded seals sport a magnificent beard of whiskers, which almost completely obscures their mouth. Harp seals are the most abundant northern hemisphere pinniped, and are known for their pure white pups.

Caspian seals are endemic to the Caspian Sea, which is the world's largest inland body of salt water. Baikal seals are the smallest true seal. They are the only seal that lives in fresh water, in Lake Baikal in southeastern Siberia.

Monk seals are a tropical species; one lives in Hawaii and the other in the Mediterranean. They are named for their dull brown colour, which is like the colour of cloaks worn by monks. Both the Hawaiian and Mediterranean Monk seals are critically endangered. The Hawaiian population is estimated at 1400 while there are only around 400 Mediterranean seals.

The grey seal lives in the North Atlantic. Males have a distinctly shaped head and were called 'horseheads' by early sealers. Harbour seals are widely distributed in both the North Pacific and the North Atlantic. Harbour seal pups are able to swim and dive within minutes of being born.

Harbour seals are also known as common seals.

PAST, PRESENT AND FUTURE

The past

For centuries pinnipeds have been hunted by natural predators such as orca, sharks, polar bears and leopard seals, and by humans living in coastal societies. The people in these societies primarily used the animals for food and clothing.

For the most part early human hunters did not threaten pinniped populations. However, things changed dramatically when seal species began to be hunted commercially for their skins and oil. Whalers and sealers descended quickly on newly discovered populations of the animals, and it wasn't too long before many species were close to extinction. An example of this occurred in 1773, when Captain James Cook sailed into Dusky Sound in Fiordland and discovered the presence of fur seals. He wrote in his journal that 'these seals differ from those we have in Europe, especially their skin, which is much finer, resembling much the skin of an otter'.

Cook's words were the beginning of the demise of the New Zealand fur seal. The first sealing gang arrived at L uncheon Cove in Dusky Sound in 1792. By the 1830s New Zealand fur seals were almost extinct, not only in Dusky Sound, but also along the rest of the West Coast and in the southern subantarctic islands. A similar fate awaited other pinniped species all over the world.

The present

The good news is that most commercial hunting has ceased and many populations of pinnipeds that were reduced to extremely small numbers have recovered. While the future looks promising for many seal species, others such as the monk seal continue to be at risk.

The not-so-good news is that today pinnipeds have a new predator — marine pollution. It is estimated that at least 100,000 seals die every year from plastics, net entanglement, chemical pollution and oil spills. In the North Sea killer epidemics have spread through populations of harbour and grey seals, while in the Baltic Sea an increasing number of seals are in trouble. They have been found with jaws missing, gums bleeding, claws falling off, malformed

reproductive organs and cancers. Chemical discharge from paper mills around Lake Baikal have placed the world's only freshwater seal on the endangered list. Other species, such as the Pribolof fur seal, Steller's sea lion and the southern elephant seal, are also in decline. Each year an estimated 2000 tonnes of fishing gear is discarded into the sea, drowning seals or causing long-term entanglement that often leads to a slow death from suffocation. Human disturbance around breeding sites is also a potential problem, especially for species such as the shy Hawaiian and Caribbean monk seals whose populations are struggling to survive.

One of the biggest pollution threats is from polychlorinated biphenols (PCBs) that have been used since 1929 in the production of electrical goods. Although they are now banned, there are still over 1.2 million tonnes of PCBs in the world. At least 20 percent (240,000 tonnes) is found in our oceans.

The future

Seals and other marine mammals, such as whales, are at the top of the food chain and their health reflects the health of the environment in which they live. In many cases, there are signs that things are not well.

Today most humans are against killing marine mammals, but we continue to kill the ocean itself. For too long humans have had an 'out of sight, out of mind' view of the ocean environment, using it as a dumping ground for unwanted and hazardous waste.

We have the resources available to change and try to correct our mistakes but do we have the motivation? The challenge for the current generation and those that follow is to make a difference! We share this planet with our fellow mammals in the sea and their fate could ultimately become our own.

DID YOU KNOW?

- There used to be three species of monk seal. The Caribbean monk seal was last sighted in the 1950s and the species is now believed to be extinct.
- Seals have concentric rings in their teeth, like the rings found in a tree trunk. The age of seals can be determined by counting the rings.
- Seals have a third eyelid, called the nictitating membrane, which works something like a windshield wiper, cleaning sand and other small particles from the eye.
- Most female pinnipeds are pregnant for approximately 12 months, but the embryo develops for only around nine months. This occurs because the females experience delayed implantation after mating. The embryo develops for a short period and then the fertilised egg lies dormant for approximately two or three months before becoming implanted in the uterine wall.
- Hooded seal males have a red bladder that can be forced out of their left nostril and inflated like a balloon — what female could resist?
- Weddell seals live under the ice throughout most of the long, six-to-eight month Antarctic winter. They keep breathing holes open by gnawing at the ice with their teeth. They are quite buck-toothed (but braces are not an option!).

- A seal's capillary-rich flippers help regulate body temperature and act as both solar panels to warm the body, and heat dumps to cool the body down.
- The crabeater seal is the fastest seal on land. It has been clocked travelling at 24 kph across the ice!
- The 40 cm whiskers of Steller's sea lions were once used as pipe cleaners.
- Only two warm-blood animals, Weddell seals and emperor penguins, remain in Antarctica during winter. Weddell seals are the only mammals who live as far south as 78° (except humans at scientific stations). The Weddell seal has a 1 cm-thick 'fur coat' and up to 10 cm of blubber.